# 高校生用 SPI クリア問題集

'26年版

成美堂出版

# 本書の特徴と使い方

## ■本書の特徴

本書は、就職試験を受ける高校生のための、SPI対策問題集です。

適性検査にはいろいろなものがありますが、なかでもよく使われるのがSPIです。高校生採用でよく使用される2つのSPI、SPI-NとSPI-Hのどちらにも対応できるように、問題を分野ごとに分け、能力検査のポイントと問題をまとめました。これ1冊でSPIの対策ができるつくりになっています。

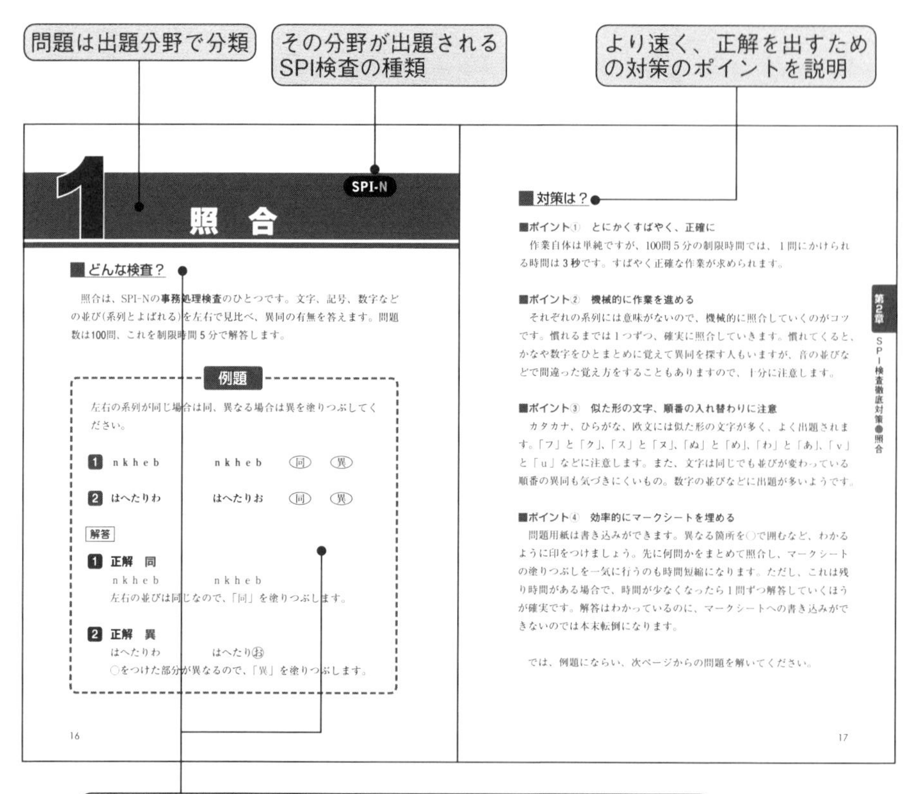

問題は出題分野で分類
その分野が出題されるSPI検査の種類
より速く、正解を出すための対策のポイントを説明
その分野でどんな形式の問題が出されるか、例題をあげて解説

1 照合　SPI-N

■どんな検査？

照合は、SPI-Nの**事務処理検査**のひとつです。文字、記号、数字などの並び(系列とよばれる)を左右で見比べ、異同の有無を答えます。問題数は100問、これを制限時間5分で解答します。

**例題**

左右の系列が同じ場合は同、異なる場合は異を塗りつぶしてください。

1　nkheb　nkheb　同　異

2　はへたりわ　はへたりお　同　異

解答

1　**正解　同**
nkheb　nkheb
左右の並びは同じなので、「同」を塗りつぶします。

2　**正解　異**
はへたりわ　はへたり㋔
○をつけた部分が異なるので、「異」を塗りつぶします。

16

■対策は？

**■ポイント①　とにかくすばやく、正確に**
作業自体は単純ですが、100問5分の制限時間では、1問にかけられる時間は**3秒**です。すばやく正確な作業が求められます。

**■ポイント②　機械的に作業を進める**
それぞれの系列には意味がないので、機械的に照合していくのがコツです。慣れるまでは1つずつ、確実に照合していきます。慣れてくると、かなや数字をひとまとめに覚えて異同を探す人もいますが、音の並びなどで間違った覚え方をすることもありますので、十分に注意します。

**■ポイント③　似た形の文字、順番の入れ替わりに注意**
カタカナ、ひらがな、欧文には似た形の文字が多く、よく出題されます。「フ」と「ク」、「ス」と「ヌ」、「ぬ」と「め」、「わ」と「あ」、「v」と「u」などに注意します。また、文字は同じでも並びが変わっている順番の異同も気づきにくいもの。数字の並びなどに出題が多いようです。

**■ポイント④　効率的にマークシートを埋める**
問題用紙は書き込みができます。異なる箇所を○で囲むなど、わかるように印をつけましょう。先に何問かをまとめて照合し、マークシートの塗りつぶしを一気に行うのも時間短縮になります。ただし、これは残り時間がある場合で、時間が少なくなったら1問ずつ解答していくほうが確実です。解答はわかっているのに、マークシートへの書き込みができないのでは本末転倒になります。

では、例題にならい、次ページからの問題を解いてください。

第2章 SPI検査徹底対策●照合

17

※本書はとくに断りのない限り、2024年9月現在の情報に基づき編集しています。

## ■本書の使い方

第１章では、SPIとはどのようなものかを説明してあります。まず、第１章でSPIの概要をつかんでください。

第２章では、SPI-NとSPI-Hの能力検査を出題分野ごとに分類し、下記のように、対策のポイントと練習問題を掲載しました。問題の形式を把握し、解答のコツをつかみましょう。

練習問題を終えたら、巻末の模擬試験にチャレンジしてください。実際の検査どおりの問題数とし、マークシート方式の解答用紙をつけてあります。なお、模擬試験の解答と解説は別冊とし、答え合わせをしやすくしました。

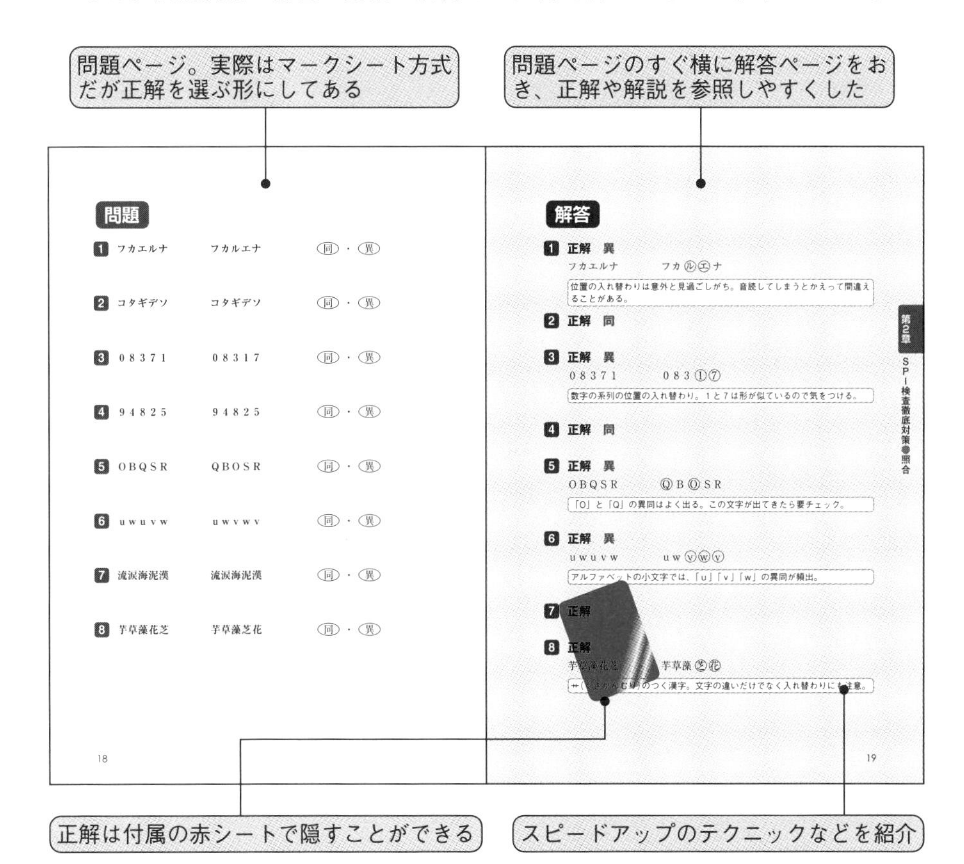

# 目次

# 第1章

# SPI検査徹底解剖

# 高校生の就職試験

## 就職試験の流れ

高校生の就職試験は、大学生の就職試験とは実施時期が異なります。高校３年生の７月から企業による求人申込と学校訪問が始まり、９月中旬から試験が始まります。おおよその流れは、次のとおりです。

| 時期 | 活動内容 |
|---|---|
| 3年生<br>4～6月 | 学内進路ガイダンス |
| | 学内二者面談 |
| 7～9月 | 求人開始 |
| | 学内個人面談・三者面談 |
| | 校内選考 |
| | 履歴書作成 |
| | 学内模擬面接・作文指導等 |
| 9月中旬～ | 就職試験実施 |
| | 内定 |

## 就職試験の内容

就職試験の内容は、企業によって異なりますが、筆記試験と面接試験のどちらも実施するところが大半です。筆記試験合格者に対して面接試験を実施するところ、筆記試験と面接試験の両方の結果をふまえて採用を決めるところ、などに分かれます。どちらにしても、筆記試験を確実に突破する必要があります。筆記試験は、５教科(国語、数学、英語、社会、理科)の基本的な問題を中心に、時事問題、作文など。これに加えて、近年増えてきているのが、適性検査の実施です。

# SPI検査の概要

## SPI検査って？

SPI(Synthetic Personality Inventory)は、リクルートマネジメントソリューションズが提供する採用試験向けの総合適性検査です。ちなみに、SPIの正式表記は、「総合的な」「個性・性格」の「診断書」という意味です。採用試験に導入する企業は15,900社(同社ホームページ)にのぼり、適性検査の代名詞ともなっています。大学生の就職試験では長い実績がありますが、高校生の就職試験でも多くの企業が利用しており、筆記試験対策としてSPI対策が欠かせないものとなってきています。

SPI検査は、いわゆる学力試験とは少し勝手が違います。基礎的な学力はもちろん必要ですが、独特な問題形式が含まれるため、事前に試験形式を知り、対策を立てることで、試験突破の可能性が大きくなります。

## SPI検査の歴史

SPI検査は、1963(昭和38)年にその原型が開発され、大学卒業者を対象とした採用試験のサービスとして提供され始めました。1974(昭和49)年には、それまでに開発されてきたさまざまなテストが統合され、その結果SPIが誕生しました。1983(昭和58)年には、事務職などを対象としたSPI-Nもリリースされています。

その後もSPIは開発が続けられ、2002(平成14)年にはSPI 2をリリース、2003(平成15)年のWEBテスト方式導入を経て、2013(平成25)年から2014(平成26)年にかけてSPI 3にバージョンアップし、現在に至ります。

2024(令和6)年現在、実施されているSPI検査は、原則すべてSPI 3となります。したがって、検査名も正式には「SPI 3」となりますが、本書ではとくに区別が必要でない限り「SPI」と表記しています。

## 主なSPI検査の種類

SPIには、基礎的な能力を測る能力検査と、受検者の性格を見る性格検査があり、それぞれ個別に実施されることもあります。対象者別に、大卒採用向け、高卒採用向け、中途採用向けなどの検査が用意されています。

| 対象 | 検査の種類 | 検査の内容 |
| --- | --- | --- |
| 大卒採用向け | SPI-U | 基礎能力検査・性格検査 |
| 高卒採用向け | SPI-H | 基礎能力検査・性格検査 |
| 中途採用向け | SPI-G | 基礎能力検査・性格検査 |
| 事務職採用向け | SPI-N<br>SPI-R | 事務能力検査・性格検査<br>事務基礎能力検査・性格検査 |

このほか、英語能力検査や構造的把握力検査を含むものもあります。

本書では、高卒採用向けのSPI-Hと、事務職採用向けのSPI-Nの対策を行います。ただし、企業によっては他の種類のSPI検査を実施する場合もあります。

## SPI検査の受検方式

SPI検査の受検方式は、パソコンを使って受検するWEBテスト方式と、ペーパーテスト方式があり、実施会場などで4つに細分化されます。

○テストセンター：リアル会場(専用会場)かオンライン会場(自宅など)を選択し、パソコンを使って受検するもの

○インハウスCBT：採用試験を行う企業で、パソコンを使って受検するもの

○WEBテスティング：受検者の自宅や学校のパソコンを使って受検するもの

○ペーパーテスティング：マークシート方式のペーパーテスト。採用試験を実施する企業などで受検するもの

## SPI検査の測定領域

SPI検査では、人が行動するうえでの基本的資質を、「知的能力」と「性格」の2領域に分けて測定します。この2つの領域から、「仕事でパフォーマンスを発揮できるかどうか」と「組織になじめるかどうか」が、見られることになります。

「知的能力」を測るのが能力検査であり、SPI-UやSPI-Hといった検査では、言語分野と非言語分野に大別されます。事務職を対象としたSPI-Nでは、事務処理能力を問う独自の検査が含まれます。

「性格」を測る性格検査は、どのSPI検査でも基本的に中身は同じです。「行動的側面」「意欲的側面」「情緒的側面」「社会関係的側面」、さらに「職務適応性」「組織適応性」といった点について、受検者の人物像が分析されることになります。

## 性格検査の形式

SPIの性格検査は、質問文に答える形式で、問題数はテストセンターの場合で約300問です。

質問文には2パターンが用意され、AB2つの質問文について、自分に近いものを「Aに近い」「どちらかといえばAに近い」「どちらかといえばBに近い」「Bに近い」から選ぶものと、1つの質問文に対して、「あてはまる」「どちらかといえばあてはまる」「どちらかといえばあてはまらない」「あてはまらない」から選ぶものがあります。

質問文の一例をあげておきます。

1　A　細部まで計画を立ててから実行する
　　B　計画の詳細は行動しながら考える
2　A　自分の意見を主張するほうだ
　　B　人の意見を尊重するほうだ

# SPI-Nとは？

SPI-Nは、事務職としての適性を測る検査です。そのため、能力検査の内容も独特なものとなっています。SPI-Nの能力検査(ペーパーテスティング)の概要は、次のとおりです。

| 検査名 | | 測定内容 | | 問題数 | 制限時間 |
|---|---|---|---|---|---|
| 検査Ⅰ | 事務処理 | 照合 | 細部の異同を速く正確に見極める力 | 100問 | 5分 |
| 検査Ⅱ | | 表読み | 「表」から速く正確に必要な情報を得る力 | 40問 | 5分 |
| 検査Ⅲ | | 置換 | 記号や数字の置き換えを速く正確に行う力 | 50問 | 5分 |
| 検査Ⅳ | 計算 | 比較的簡単な四則演算を敏速かつ正確にこなす力 | | 40問 | 8分 |
| 検査Ⅴ | 漢字の読み書き | 基本的な、あるいは誤りやすい漢字について的確に読み書きができる力 | | 150問 | 8分 |

SPI-Nでは得点のほかに、誤謬(ごびゅう)率が出されます。誤謬率とは解答した問題に対する不正解の割合です。仮に解答数が多くても、間違いが多ければそのぶん評価が下がってしまうので、注意が必要です。

性格検査が同時に実施される場合は、検査Ⅵ、検査Ⅶが加わります。性格検査の制限時間は、約40分です。

## 能力検査のポイント

どの検査も、解答できないような難しい問題は出ません。事務能力で何より重視されるのは、「短時間に」「正確に」処理すること。問題を数多く解いていくことで、すばやさと正確さを磨いていきましょう。

# SPI-Hとは？

SPI-Hは、とくに事務職に限定されない総合的な適性を見る検査です。そのため、能力検査(ペーパーテスティング)はSPI-Nとは異なり、言語能力を測るもの、非言語能力を測るものに区分されます。

SPI-Hの能力検査(ペーパーテスティング)の概要は、次のとおりです。

| 検査名 | | 測定内容 | 問題数 | 制限時間 |
|---|---|---|---|---|
| 検査Ⅰ | 言語 | 文の要素である語の意味を正しく把握し、文章の構成や要旨を的確に理解する力 | 54問～55問* | 30分 |
| 検査Ⅱ | 非言語 | 加減乗除の計算やグラフ・表を正確に解釈したり、すでに獲得した情報をもとに新しい情報や的確な判断を論理的に導き出す力 | 40問 | 40分 |

＊問題数は、版によって多少異なる

性格検査が同時に実施される場合は、さらに検査が追加されます。性格検査の内容はSPI-Nと同じです。

## 言語分野のポイント

言語分野では、

・「語句の意味」

・「２語の関係」

・「文章理解」

などの問題が出題されます。

「語句の意味」「文章理解」は、一般的な国語のテストなどでも見られる内容ですが、「２語の関係」はSPI独自の問題といえるでしょう。初めての場合、とまどうこともありそうです。

それぞれの問題への対策は第２章で詳しく述べますが、やはり習うより慣れろです。「２語の関係」も何度か問題を解いてみれば、問題自体はそう難しいものでないことがわかります。また、SPI検査は、時間勝負の面もあります。どのような問題が出るのかわかっていると、解答速度は大幅に違ってきます。

## 非言語分野のポイント

非言語分野では、
・「計算(四則演算、四則逆算)」
・「文章題(割合、速さ、仕事算、濃度、損益、年齢算、集合など)」
・「順列・組合せ・確率」
・「表とグラフ(表の読み取り、グラフと領域)」
・「推論」
などが出題されます。

計算や文章題、順列・組合せなどの問題は、数学のテストの問題と大きな違いはありません。難易度からいっても、決して難しいものではありません。一方、表の読み取りやグラフの領域、そして推論の問題は、これまでの学校での勉強ではあまり目にしなかったものといえるでしょう。

SPI独自の問題への対策は、言語分野と同様に、習うより慣れろが鉄則です。それぞれの問題を解いていくのに必要な知識は、基本的なものばかりです。問題に慣れ、解き方のコツさえ身につければ、正解にたどりつけます。

# 第2章

# SPI検査徹底対策

SPI-N

# 照　合

## どんな検査？

照合は、SPI-Nの**事務処理検査**のひとつです。文字、記号、数字などの並び（系列とよばれる）を左右で見比べ、異同の有無を答えます。問題数は100問、これを制限時間５分で解答します。

### 例題

左右の系列が同じ場合は同、異なる場合は異を塗りつぶしてください。

**1**　**n k h e b**　　　**n k h e b**　　㊐同　㊐異

**2**　**はへたりわ**　　　**はへたりお**　　同　異

解答

**1**　**正解　同**

n k h e b　　　n k h e b

左右の並びは同じなので、「同」を塗りつぶします。

**2**　**正解　異**

はへたりわ　　　はへたり㋔

◯をつけた部分が異なるので、「異」を塗りつぶします。

## 対策は？

**■ポイント① とにかくすばやく、正確に**

作業自体は単純ですが、100問５分の制限時間では、１問にかけられる時間は**３秒**です。すばやく正確な作業が求められます。

**■ポイント② 機械的に作業を進める**

それぞれの系列には意味がないので、機械的に照合していくのがコツです。慣れるまでは１つずつ、確実に照合していきます。慣れてくると、かなや数字をひとまとめに覚えて異同を探す人もいますが、音の並びなどで間違った覚え方をすることもありますので、十分に注意します。

**■ポイント③ 似た形の文字、順番の入れ替わりに注意**

カタカナ、ひらがな、欧文には似た形の文字が多く、よく出題されます。「フ」と「ク」、「ス」と「ヌ」、「ぬ」と「め」、「わ」と「あ」、「ｖ」と「ｕ」などに注意します。また、文字は同じでも並びが変わっている順番の異同も気づきにくいもの。数字の並びなどに出題が多いようです。

**■ポイント④ 効率的にマークシートを埋める**

問題用紙は書き込みができます。異なる箇所を○で囲むなど、わかるように印をつけましょう。先に何問かをまとめて照合し、マークシートの塗りつぶしを一気に行うのも時間短縮になります。ただし、これは残り時間がある場合で、時間が少なくなったら１問ずつ解答していくほうが確実です。解答はわかっているのに、マークシートへの書き込みができないのでは本末転倒になります。

では、例題にならい、次ページからの問題を解いてください。

## 問題

| | | | |
|---|---|---|---|
| 1 | フカエルナ | フカルエナ | 同・異 |
| 2 | コタギデソ | コタギデソ | 同・異 |
| 3 | 0 8 3 7 1 | 0 8 3 1 7 | 同・異 |
| 4 | 9 4 8 2 5 | 9 4 8 2 5 | 同・異 |
| 5 | O B Q S R | Q B O S R | 同・異 |
| 6 | u w u v w | u w v w v | 同・異 |
| 7 | 流涙海泥漢 | 流涙海泥漢 | 同・異 |
| 8 | 芋草藻花芝 | 芋草藻芝花 | 同・異 |

# 解答

**1 正解　異**

フカエルナ　　　　フカ㋸㋓ナ

位置の入れ替わりは意外と見過ごしがち。音読してしまうとかえって間違えることがある。

**2 正解　同**

**3 正解　異**

０８３７１　　　　０８３①⑦

数字の系列の位置の入れ替わり。１と７は形が似ているので気をつける。

**4 正解　同**

**5 正解　異**

ＯＢＱＳＲ　　　　ⓆＢⓄＳＲ

「O」と「Q」の異同はよく出る。この文字が出てきたら要チェック。

**6 正解　異**

ｕｗｕｖｗ　　　　ｕｗⓥⓦⓥ

アルファベットの小文字では、「u」「v」「w」の異同が頻出。

**7 正解　同**

**8 正解　異**

芋草藻花芝　　　　芋草藻(芝)(花)

艹(くさかんむり)のつく漢字。文字の違いだけでなく入れ替わりにも注意。

## 問題

| | | | |
|---|---|---|---|
| 9 | わいるなこ | わるいなこ | 同・異 |
| 10 | そぬならわ | そぬならね | 同・異 |
| 11 | ƎEШmE | EƎШmE | 同・異 |
| 12 | ШEmEƎ | ШEmEƎ | 同・異 |
| 13 | ワラクウタ | ワラウクタ | 同・異 |
| 14 | ユキオイナ | ユキオイナ | 同・異 |
| 15 | 2 8 3 5 7 | 2 8 3 5 7 | 同・異 |
| 16 | 5 2 5 0 1 | 6 2 5 1 0 | 同・異 |

# 解答

**9** **正解　異**

わいるなこ　　　　わ ⓡⓘ なこ

ひらがなの位置移動。「わるい」と読んでしまわないように。

**10** **正解　異**

そぬならわ　　　　そぬなら ⓝ

形の似たひらがなでは、「わ」「ね」「め」が頻出する。

**11** **正解　異**

ヨEШＭE　　　　ⒺⓎ ШＭE

記号の系列。右向き・左向き、上向き・下向きをしっかり確認する。

**12** **正解　同**

**13** **正解　異**

ワラクウタ　　　　ワラ ⓤⓚ タ

形が似ているカタカナだが、位置の入れ替わりにも注意する。

**14** **正解　同**

**15** **正解　同**

**16** **正解　異**

52501　　　　⑥25①⓪

「5」と「6」の異同も見過ごしやすい。

SPI-N

# 置　換

## どんな検査？

置換は、SPI-Nの**事務処理検査**のひとつです。アルファベットを数字に置き換え、与えられた式の「？」を求めます。問題数は50問、これを制限時間５分で解答します。

### 例題

？にあてはまる文字を答えなさい。

**1**

| A | B | C | D | E |
|---|---|---|---|---|
| 1 | 3 | 4 | 5 | 2 |

**A + B + ? = D + E**

Ⓐ　Ⓑ　Ⓒ　Ⓓ　Ⓔ

**2**

| A | B | C | D | E |
|---|---|---|---|---|
| 1 | 3 | 4 | 5 | 2 |

**A + B + ? = B + E**

Ⓐ　Ⓑ　Ⓒ　Ⓓ　Ⓔ

解答

**1 正解　B**

置き換えて計算すると、

A + B = 1 + 3 = 4、D + E = 5 + 2 = 7、7 − 4 = 3

答えはB

**2 正解　A**

置き換えて計算すると、

A + B = 1 + 3 = 4、B + E = 3 + 2 = 5、5 − 4 = 1

答えはA

## 対策は？

### ■ポイント①　数字を書き込む

与えられた式のアルファベットのすぐ上にでも数字を書き込みます。簡単な足し算と思っても、暗算は間違えることがあります。試しに暗算で問題をやってみると、自分の間違えやすいところに気がつくはずです。

### ■ポイント②　両辺の同じ文字は最初に消す

式の左辺と右辺に同じ文字がある場合、最初から斜線などで消してしまいます。両辺に同じ数字を加えるのですから、相殺でき、計算をする必要はありません。

A＋~~B~~＋？＝~~B~~＋E

↓

A＋？＝E

### ■ポイント③　5以下の結果が出たら、置き換えられる文字を探す

？を含む辺の他の2文字を置き換えて計算した結果が5以下の場合、もう一方の辺にその数字にあてはまる文字があれば、残った数字が答えになります。

A＋B＋？＝C＋D

Aが1、Bが2、Cが3と置き換えられる場合、次のように考えます。

A＋B＋？＝~~C~~＋D
（A＋B → ~~3~~）

したがって、答えはDです。

では、例題にならい、次ページからの問題を解いてください。

# 問題

**1**

| A | B | C | D | E |
|---|---|---|---|---|
| 3 | 2 | 1 | 5 | 4 |

A + ? + B = C + D

Ⓐ・Ⓑ・Ⓒ・Ⓓ・Ⓔ

**2**

| A | B | C | D | E |
|---|---|---|---|---|
| 1 | 3 | 4 | 5 | 2 |

A + ? + C = A + D

Ⓐ・Ⓑ・Ⓒ・Ⓓ・Ⓔ

**3**

| A | B | C | D | E |
|---|---|---|---|---|
| 4 | 2 | 1 | 5 | 3 |

C + ? + B = D + E

Ⓐ・Ⓑ・Ⓒ・Ⓓ・Ⓔ

**4**

| A | B | C | D | E |
|---|---|---|---|---|
| 2 | 3 | 4 | 5 | 1 |

B + ? + E = B + A

Ⓐ・Ⓑ・Ⓒ・Ⓓ・Ⓔ

**5**

| A | B | C | D | E |
|---|---|---|---|---|
| 5 | 3 | 1 | 2 | 4 |

C + ? + E = A + D

Ⓐ・Ⓑ・Ⓒ・Ⓓ・Ⓔ

# 解答

**1 正解　C**

| A | B | C | D | E |
|---|---|---|---|---|
| 3 | 2 | 1 | 5 | 4 |

A + ? + B = C + D

↓

3 + ? + 2 = C + ~~D~~　　? = C

（3 + 2 → ~~5~~）

？を含む辺の文字を置き換えて計算したものが５以下の場合、もう一方の辺に該当する数字を表す文字があれば、それを除いた文字が答え。

**2 正解　A**

| A | B | C | D | E |
|---|---|---|---|---|
| 1 | 3 | 4 | 5 | 2 |

~~A~~ + ? + C = ~~A~~ + D ← 両辺に同じ文字がある場合はその文字を消して考える。

↓

? + C = D

↓

? + 4 = 5　　? = 1　　? = A

**3 正解　D**

| A | B | C | D | E |
|---|---|---|---|---|
| 4 | 2 | 1 | 5 | 3 |

C + ? + B = D + E

↓

1 + ? + 2 = D + ~~E~~　　? = D

（1 + 2 → ~~3~~）

**4 正解　E**

| A | B | C | D | E |
|---|---|---|---|---|
| 2 | 3 | 4 | 5 | 1 |

~~B~~ + ? + E = ~~B~~ + A

↓

? + E = A

↓

? + 1 = 2　　? = 1　　? = E

**5 正解　D**

| A | B | C | D | E |
|---|---|---|---|---|
| 5 | 3 | 1 | 2 | 4 |

C + ? + E = A + D

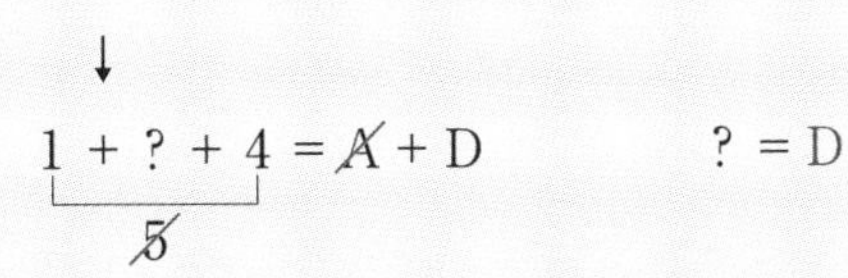

## 問題

**6**

| A | B | C | D | E |
|---|---|---|---|---|
| 2 | 5 | 3 | 1 | 4 |

C + E = C + ? + A

Ⓐ · Ⓑ · Ⓒ · Ⓓ · Ⓔ

**7**

| A | B | C | D | E |
|---|---|---|---|---|
| 2 | 3 | 1 | 5 | 4 |

B + E = E + ? + A

Ⓐ · Ⓑ · Ⓒ · Ⓓ · Ⓔ

**8**

| A | B | C | D | E |
|---|---|---|---|---|
| 1 | 3 | 4 | 2 | 5 |

A + E = D + ? + A

Ⓐ · Ⓑ · Ⓒ · Ⓓ · Ⓔ

**9**

| A | B | C | D | E |
|---|---|---|---|---|
| 5 | 1 | 2 | 3 | 4 |

C + E = B + ? + D

Ⓐ · Ⓑ · Ⓒ · Ⓓ · Ⓔ

**10**

| A | B | C | D | E |
|---|---|---|---|---|
| 4 | 5 | 1 | 3 | 2 |

B + E = D + ? + C

Ⓐ · Ⓑ · Ⓒ · Ⓓ · Ⓔ

# 解答

**6 正解 A**

| A | B | C | D | E |
|---|---|---|---|---|
| 2 | 5 | 3 | 1 | 4 |

~~C~~ + E = ~~C~~ + ? + A ← ？のある辺が左辺でも右辺でも、考え方は同じ。

↓

E = ? + A

↓

4 = ? + 2　　? = 2　　? = A

**7 正解 C**

| A | B | C | D | E |
|---|---|---|---|---|
| 2 | 3 | 1 | 5 | 4 |

B + ~~E~~ = ~~E~~ + ? + A

↓

B = ? + A

↓

3 = ? + 2　　? = 1　　? = C

**8 正解 B**

| A | B | C | D | E |
|---|---|---|---|---|
| 1 | 3 | 4 | 2 | 5 |

~~A~~ + E = D + ? + ~~A~~

↓

E = D + ?

↓

5 = 2 + ?　　? = 3　　? = B

**9 正解 C**

| A | B | C | D | E |
|---|---|---|---|---|
| 5 | 1 | 2 | 3 | 4 |

C + E = B + ? + D

↓

C + ~~E~~ = 1 + ? + 3（1 + 3 → ~~4~~）　　? = C

**10 正解 D**

| A | B | C | D | E |
|---|---|---|---|---|
| 4 | 5 | 1 | 3 | 2 |

B + E = D + ? + C

↓

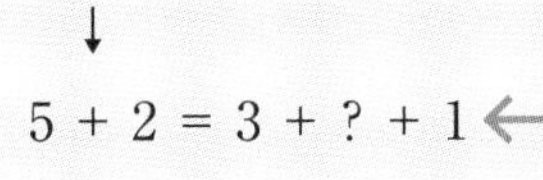

5 + 2 = 3 + ? + 1 ← 文字の消去ができないときはそのまま計算する。

↓

7 = 4 + ?　　? = 3　　? = D

## 問題

**11**

| A | B | C | D | E |
|---|---|---|---|---|
| 2 | 1 | 5 | 4 | 3 |

? + B + E = A + E

Ⓐ・Ⓑ・Ⓒ・Ⓓ・Ⓔ

**12**

| A | B | C | D | E |
|---|---|---|---|---|
| 3 | 2 | 5 | 1 | 4 |

? + C + D = B + C

Ⓐ・Ⓑ・Ⓒ・Ⓓ・Ⓔ

**13**

| A | B | C | D | E |
|---|---|---|---|---|
| 4 | 2 | 1 | 5 | 3 |

? + B + C = A + E

Ⓐ・Ⓑ・Ⓒ・Ⓓ・Ⓔ

**14**

| A | B | C | D | E |
|---|---|---|---|---|
| 1 | 3 | 4 | 5 | 2 |

? + B + E = C + E

Ⓐ・Ⓑ・Ⓒ・Ⓓ・Ⓔ

**15**

| A | B | C | D | E |
|---|---|---|---|---|
| 3 | 4 | 2 | 5 | 1 |

? + C + E = A + B

Ⓐ・Ⓑ・Ⓒ・Ⓓ・Ⓔ

# 解答

**11 正解　B**

| A | B | C | D | E |
|---|---|---|---|---|
| 2 | 1 | 5 | 4 | 3 |

$? + B + \cancel{E} = A + \cancel{E}$

↓

$? + B = A$

↓

$? + 1 = 2 \qquad ? = 1 \qquad ? = B$

**12 正解　D**

| A | B | C | D | E |
|---|---|---|---|---|
| 3 | 2 | 5 | 1 | 4 |

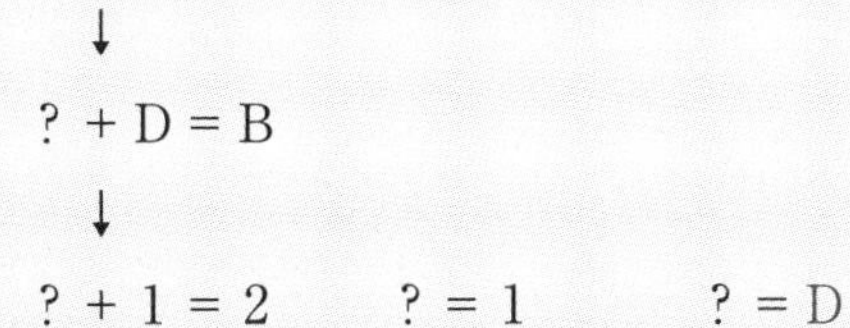


**13 正解　A**

| A | B | C | D | E |
|---|---|---|---|---|
| 4 | 2 | 1 | 5 | 3 |

$? + B + C = A + E$

↓

$? + \underbrace{2 + 1}_{\cancel{3}} = A + \cancel{E} \qquad ? = A$

**14 正解　A**

| A | B | C | D | E |
|---|---|---|---|---|
| 1 | 3 | 4 | 5 | 2 |

$? + B + \cancel{E} = C + \cancel{E}$

↓

$? + B = C$

↓

$? + 3 = 4 \qquad ? = 1 \qquad ? = A$

**15 正解　B**

| A | B | C | D | E |
|---|---|---|---|---|
| 3 | 4 | 2 | 5 | 1 |

$? + C + E = A + B$

↓

$? + \underbrace{2 + 1}_{\cancel{3}} = \cancel{A} + B \qquad ? = B$

SPI-N

# 漢字の読み書き

## どんな検査？

漢字の読み書きはSPI-Nの検査のひとつです。漢字の読み方あるいは書き方が、正しいか誤っているかを答えます。読み方、書き方が10問ずつ交互に出題され、150問を制限時間８分で解答します。

## 対策は？

漢字の読み方・書き方は、SPI-N検査に限らず、一般常識試験などでもよく出題されますので、しっかり対策しておきたいものです。

### ■ポイント①　わかるものから解答する

１問にかけられる時間はおよそ３秒、わからない問題で悩む時間はありません。わかるものから解答しましょう。

### ■ポイント②　間違えやすい漢字をチェック

「是非(×是否)」や「詐欺(×詐偽)」など、間違えやすい漢字というものがあり、当然、出題頻度も高くなります。用語辞典や問題集などにまとめられていることが多いので、意識して覚えるようにします。

### ■ポイント③　漢字と親しむ

漢字の読み書きは、日ごろの蓄積がものをいいます。新聞や雑誌でたくさんの漢字に接する、意味があやふやな漢字は辞書で確認し、用例で使い方を理解するなど、できるだけ習慣づけたいものです。

## 例題

読み方の問題では(　)内に書かれた漢字の読み方が正しいかどうか、書き方の問題では(　)に書かれた漢字が、下線部のカタカナと正しく対応しているかどうかを答えてください。どちらの問題も、正しいときは正、誤っているときは誤を塗りつぶしてください。

1 羽毛(ウモウ)　㊣ ㊫
2 気配(キハイ)　㊣ ㊫
3 コウドウ(構堂)で全校集会を開く　㊣ ㊫
4 ソショク(粗食)は健康によい　㊣ ㊫

解答

1 **正解　正**
正しい読みなので、「正」を塗りつぶします。

2 **正解　誤**
正しい読みはケハイ。「誤」を塗りつぶします。

3 **正解　誤**
コウドウは「講堂」。「誤」を塗りつぶします。

4 **正解　正**
正しい漢字なので、「正」を塗りつぶします。

では、例題にならい、次ページからの問題を解いてください。

## 問題

**1** 把握(ハアク)　　正・誤

**2** 投影(トウケイ)　　正・誤

**3** 兼用(ケンヨウ)　　正・誤

**4** 珍重(チンジュウ)　　正・誤

**5** 柔和(ジュウワ)　　正・誤

**6** 規範(キハン)　　正・誤

**7** 斡旋(アッセン)　　正・誤

**8** 遂行(ツイコウ)　　正・誤

**9** 疾病(シッペイ)　　正・誤

**10** 重鎮(ジュウシン)　　正・誤

## 解答

**1 正解　正**

**2 正解　誤**

正しい読みは「トウエイ」

**3 正解　正**

**4 正解　誤**

正しい読みは「チンチョウ」

**5 正解　誤**

正しい読みは「ニュウワ」

**6 正解　正**

**7 正解　正**

**8 正解　誤**

正しい読みは「スイコウ」

**9 正解　正**

**10 正解　誤**

正しい読みは「ジュウチン」

## 問題

**11** レンタイ(連体)して責任をおう　　正・誤

**12** 毎年お盆にはキセイ(帰省)する　　正・誤

**13** 環境問題にカンシン(歓心)をもつ　　正・誤

**14** それはコダイ(誇大)広告だ　　正・誤

**15** 多様なヨウト(用途)に使われる　　正・誤

**16** 創意とクフウ(工夫)が凝らされている　　正・誤

**17** フクザツ(復雑)な気持ちになる　　正・誤

**18** 食器を戸棚にシュウノウ(集納)する　　正・誤

**19** イッキイチユウ(一喜一優)する　　正・誤

**20** テキカク(適格)な判断だ　　正・誤

## 解答

**11 正解　誤**

レンタイは「連帯」。２人以上で事にあたり、責任をともにする。

**12 正解　正**

**13 正解　誤**

この場合のカンシンは心にかけることで、「関心」。

**14 正解　正**

**15 正解　正**

**16 正解　正**

**17 正解　誤**

フクザツは「複雑」。「複」は２つ以上、「復」はもとに戻る意味。

**18 正解　誤**

この場合のシュウノウは品物などをしまいこむことで、「収納」。

**19 正解　誤**

イッキイチユウは「一喜一憂」と書く。状況の変化により、喜んだり悲しんだりすること。

**20 正解　誤**

この場合のテキカクは的をはずれず確かなことで、「的確」。適格は資格にかなうこと。

SPI-H

# 語句の意味

## どんな検査？

語句の意味は、SPI-Hの**言語能力検査**に含まれます。語句と意味を結びつける、語句の意味を答える、意味から語句を選ぶ、示された語句の同意語あるいは反意語を選ぶなど、いくつかの形式があります。

SPI-Hの言語分野は全体で54〜55問ですが、その半分弱が、同意語・反意語も含めて語句の意味の問題です。

## 対策は？

**■ポイント① 消去法を活用する**

選択肢には、明らかに違うとわかるものも含まれます。まずそれをはずして、残ったものを検討します。

**■ポイント② 同意語、反意語はまず覚える**

国語の参考書や用語辞典などに載っている代表的な同意語、反意語は丸暗記しておきます。漢字からの推測はあてになりません。同じ漢字や反対の意味の漢字が使われていても、語としては同意語や反意語でないものもあります。

**■ポイント③ 同じ文を言い換えてみる**

「君の意見に賛成(同意)する」のように、別の語で言い換えて同じ意味になれば同意語です。

## 例題

最初に示した語句と意味が最もよくよく合致するものを選びなさい。

**1** 表現、意見などが手厳しいこと

A 辛辣 B 辛酸 C 辛味 D 辛抱 E 辣腕

**2** 正直いちずで、気がきかないこと

A 愚昧 B 愚直 C 真摯 D 愚息 E 正統

最初に示した語句と意味が最も近いものを１つ選びなさい。

**3** 息災

A 災難 B 安全 C 安穏 D 無事 E 延命

最初に示した語句と意味が反対になるものを１つ選びなさい。

**4** 文明

A 野卑 B 僻地 C 暗愚 D 文化 E 野蛮

**解答**

**1 正解 A**

あてはまるのは「辛辣（しんらつ）」。Aを選びます。

**2 正解 B**

あてはまるのは「愚直（ぐちょく）」。Bを選びます。

**3 正解 D**

「息災（そくさい）」は健康なことで、同意語は「無事」。Dを選びます。

**4 正解 E**

「文明」の反意語は「野蛮（やばん）」。Eを選びます。

## 問題

最初に示した語句と意味が最もよく合致するものを選びなさい。

**1** とけあって一つになること

A 合体　B 融合　C 統一　D 一体　E 合算

**2** 内容に乏しいこと

A 外見　B 真空　C 軽薄　D 虚偽　E 空疎

**3** 支配、管理が及ぶ範囲

A 管轄　B 地域　C 面積　D 国家　E 区域

**4** 上品で深みがあること

A かいがいしい　B めめしい　C しおらしい
D いじらしい　E おくゆかしい

**5** 実際よりもおおげさに表現すること

A 自慢　B 虚栄　C 誇張　D 拡大　E 膨張

**6** つじつまが合わないこと

A 迂回　B 矛盾　C 逆説　D 複雑　E 弁明

**7** よく理解して自分のものとすること

A 獲得　B 会得　C 受領　D 納得　E 自前

# 解答

**1 正解 B**

「融」はとける意味。「合体」は合わさって一つになる。「統一」はばらばらなものを一つにまとめる。「一体」はひとまとまり。

**2 正解 E**

「空」はからっぽ、「疎」はまばら。「外見」は外から見たようす。「軽薄」は考えが浅く、いい加減なこと。「虚偽」はうそいつわり。

**3 正解 A**

「管」は支配する、「轄」はとりしまること。

**4 正解 E**

「かいがいしい」は骨身を惜しまずてきぱきしたさま。「めめしい」は弱々しくいくじがないこと。「しおらしい」はおとなしくひかえめなこと。「いじらしい」はかよわい者の一生懸命でかわいそうなさま。

**5 正解 C**

「誇」はおおげさに自慢する、「張」はひっぱりのばす。「自慢」は自分に関係することを他者に対して誇ること。

**6 正解 B**

「迂回」は回り道をすること。「逆説」は一般に真理といわれているものに反する説。

**7 正解 B**

読みは「えとく」。「獲得」は手に入れること。「納得」は承知して認めること。

## 問題

最初に示した語句と意味が最も近いものを１つ選びなさい。

**8** 方法

A　工夫
B　戦略
C　達成
D　手段
E　解決

**9** 妥協

A　協力
B　譲歩
C　妥当
D　融和
E　終結

**10** 横柄

A　権力
B　横行
C　権勢
D　横着
E　尊大

## 解答

**8 正解 D**

「方法」は、ある目的を達成するための計画的な操作をいう。意味が近いのは「手段」、目的を達成するためのやりかた。

「工夫」は、よい方法をあれこれ考えること。「戦略」は、戦いで相手に勝つための作戦計画。「達成」は、計画や目的を成し遂げること。「解決」は、問題や事件がかたづくこと。

**9 正解 B**

「妥協」は、互いの主張を譲り合って、一つの結論などを導くこと。意味が近いのは「譲歩」、自説を強く主張せず、他者に譲ってその説に従うこと。

「協力」は、力を合わせて助け合うこと。「妥当」は、よくあてはまり適切なこと。「融和」は、うちとけて仲よくすること。「終結」は、物事が終わりになること。

**10 正解 E**

「横柄」は、人に対していばった態度をみせること。意味が近いのは「尊大」、いばって人を見下すようなようす。

「権力」は、他人を支配し従わせる力。「横行」は、勝手にふるまうこと、はびこること。「権勢」は、権力をにぎって勢力が強いこと。「横着」は、ずうずうしくて勝手なこと。

## 問題

最初に示した語句と意味が反対になるものを1つ選びなさい。

**11** **実践**

A　研究
B　挑戦
C　空想
D　命令
E　理論

**12** **撤退**

A　進出
B　出発
C　進行
D　開店
E　入場

**13** **感情**

A　理屈
B　沈着
C　議論
D　理性
E　冷静

# 解答

**11 正解　E**

「実践」は、実際の状況で行うこと。意味が反対になるのは「理論」、純粋で体系的な知識。
「研究」はよく調べて真理を究めること。「挑戦」は戦いを挑むこと。「空想」は現実にありえないことをあれこれ思いめぐらすこと。「命令」はあることを行うよう命じること。

**12 正解　A**

「撤退」は、拠点などを取り払って退くこと。また、今まで行っていた分野などから手を引くこと。意味が反対になるのは「進出」、新しい場に乗り出すこと。
「出発」は、目的地に向けて出かけること。また、何かをめざして進み始めること。「進行」は、進んでいくこと。「開店」は、店を開くこと。「入場」は、会場、式場などに入ること。

**13 正解　D**

「感情」は、ものごとに触れて起こる心の動き。意味が反対になるのは「理性」、道理に従って判断する能力。
「理屈」は、物事のすじみち。「沈着」は、落ち着いて動じないこと。「議論」は、互いに考えを述べ合い、論じ合うこと。「冷静」は、落ち着いていて、感情に動かされないようす。

SPI-H

# 2語の関係

## どんな検査？

２語の関係はSPI-Hの**言語能力検査**に含まれます。例に示された２つの語の関係を考え、それと同じ関係をもつものを選ぶというものです。SPI検査に特有の出題形式です。

## 対策は？

**■ポイント①　２語の関係パターンを覚える**

・**包含**……○○は◇◇の一種
・**用途**……○○を◇◇に使う
・**原料（材料）**……○○は◇◇の原料
・**仕事（役割）**……○○は◇◇の仕事をする
・**同意**……○○と◇◇は同じ意味
・**反意**……○○と◇◇は反対の意味
・**同列（同類）**……○○と◇◇は同じ＊＊の一種
・**一組（セット）**……○○と◇◇は一組で使う

**■ポイント②　解法をマスターする**

２語の関係の問題は、次の手順で解きます。

①示された２語の関係を見抜く
②左右の並びに注意する
　たとえば、左の語が右の語を含むか、逆に右の語が左の語を含むかで、同じ包含関係でも、違う関係となります。
③選択肢から同じ関係のものを選ぶ

## 例題

最初に示した2語の関係を考え、これと同じ関係を示す対を選びなさい。

**1** 塩：調味料

ア　チョウ：昆虫

イ　針葉樹：マツ

ウ　みそ：大豆

A　アだけ　B　イだけ　C　ウだけ　D　アとイ

E　アとウ　F　イとウ

最初に示した2語の関係と同じ関係になる語を選びなさい。

**2** 寒天：ところてん

米　　A　稲

　　　B　穀類

　　　C　麦

　　　D　酒

　　　E　銘柄米

**解答**

**1 正解　A**

「塩」は「調味料」の一種で、同じ関係になっているのはアだけです。したがって、正解はAとなります。

**2 正解　D**

「寒天」は「ところてん」の原料です。「米」を原料とするのはDの「酒」。したがって、正解はDとなります。

## 問題

最初に示した2語の関係を考え、これと同じ関係を示す対を選びなさい。

**1** **なし：果物**

ア　乗り物：オートバイ

イ　バス：運送

ウ　柔道：格闘技

A　アだけ　B　イだけ　C　ウだけ　D　アとイ

E　アとウ　F　イとウ

**2** **のり：接着**

ア　鉛筆：筆記

イ　スマートフォン：通信

ウ　消しゴム：文房具

A　アだけ　B　イだけ　C　ウだけ　D　アとイ

E　アとウ　F　イとウ

**3** **板前：調理**

ア　俳優：演技

イ　指導：コーチ

ウ　大工：建築

A　アだけ　B　イだけ　C　ウだけ　D　アとイ

E　アとウ　F　イとウ

**4** **うどん：小麦粉**

ア　木綿：手ぬぐい

イ　豆腐：大豆

ウ　自転車：乗り物

A　アだけ　B　イだけ　C　ウだけ　D　アとイ

E　アとウ　F　イとウ

## 解答

**1 正解 C**

「なし」は「果物」の一種で、果物に含まれる。これを包含の関係という。同じ包含の関係となるのはアとウだが、アは左右の並びが逆(含まれる語が右側にある)となり、例示された関係とは違ってくる。イは、「バス」が「運送」のために用いられる用途の関係で、包含の関係ではない。

**2 正解 D**

「のり」は「接着」のために用いられ、これを用途の関係という。同じ用途の関係となるのはアとイで、左右の並びも例示された関係と同じ。ウは、包含の関係。

**3 正解 E**

「板前」は「調理」をすることが仕事で、これを仕事(役割)の関係という。ア、イ、ウとも、仕事の関係だが、イは左右の並びが逆(仕事内容が左側にある)となり、例示された関係とは違ってくる。

**4 正解 B**

「小麦粉」は「うどん」の原料で、これを原料(材料)の関係という。同じ原料の関係になるのはアとイだが、アは左右の並びが逆(原料が左側にある)となり、例示された関係とは違ってくる。ウは、包含の関係。

## 問題

**5** **過激：穏健**

ア　信頼：信用

イ　建設：破壊

ウ　分散：集中

A　アだけ　B　イだけ　C　ウだけ　D　アとイ

E　アとウ　F　イとウ

**6** **欠点：短所**

ア　困難：容易

イ　方法：手段

ウ　勤勉：怠惰

A　アだけ　B　イだけ　C　ウだけ　D　アとイ

E　アとウ　F　イとウ

**7** **お茶：ジュース**

ア　猫：哺乳類

イ　りんご：みかん

ウ　せっけん：洗浄

A　アだけ　B　イだけ　C　ウだけ　D　アとイ

E　アとウ　F　イとウ

**8** **弓：矢**

ア　電卓：計算

イ　辞書：書籍

ウ　帯：和服

A　アだけ　B　イだけ　C　ウだけ　D　アとイ

E　アとウ　F　イとウ

## 解答

**5 正解 F**

「過激」と「穏健」は反対の意味をもつ言葉であり、これを反意語の関係という。同じ反意語の関係となるのはイとウ。アの「信頼」と「信用」は、同じ意味をもつ同意語の関係。

**6 正解 B**

「欠点」と「短所」は同じ意味をもつ言葉であり、これを同意語の関係という。同じ同意語の関係となるのはイ。アとウは、反対の意味をもつ反意語の関係。

**7 正解 B**

「お茶」と「ジュース」はどちらも飲み物であり、これを同列(同類)の関係という。イの「りんご」と「みかん」はどちらも果物で、同列の関係となる。アは、包含の関係、ウは、用途の関係。

**8 正解 C**

「弓」と「矢」は一組として一緒に使うものであり、これを一組(セット)の関係という。同じ一組の関係となるのは、ウの「帯」と「和服」。アは、用途の関係、イは、包含の関係。

## 問題

最初に示した2語の関係と同じ関係になる語を選びなさい。

**9** **たんす：家具**

野球

A　試合
B　バックネット
C　応援
D　観戦
E　スポーツ

**10** **ストップウォッチ：計測**

トランペット

A　楽器
B　演奏
C　発表
D　芸術
E　音楽

**11** **牛乳：バター**

ぶどう

A　デザート
B　果物
C　ワイン
D　栽培
E　桃

**12** **教師：授業**

医師

A　免許
B　学会
C　研究
D　診療
E　病院

# 解答

**9 正解　E**

「たんす」は「家具」の一種であり、包含の関係となる。野球をその一種として含むものは「スポーツ」。

**10 正解　B**

「ストップウォッチ」は「計測」に用いられ、用途の関係となる。トランペットの用途は「演奏」である。Aの「楽器」は、その一種としてトランペットを含む包含の関係。

**11 正解　C**

「牛乳」は「バター」の原料となるので、原料(材料)の関係となる。ぶどうを原料とするのは「ワイン」となる。Bの「果物」は、包含の関係。Eの「桃」は、同列(同類)の関係。

**12 正解　D**

「教師」は「授業」をするのが仕事であり、これは仕事(役割)の関係となる。医師は「研究」もするが、主な仕事は「診療」。

SPI-H

# 文章理解

## どんな検査？

文章理解は、SPI-Hの**言語能力検査**に含まれます。文章を読み、その文章について問いに答える、いわゆる長文読解問題です。文章はおおむね500字程度、さほど難解なものは出題されません。問われる内容も例題にあげたものにほぼ限られます。

### 例題

次の文を読んで、1～4の問いに答えなさい。

西欧の遠近法や明暗法は、ちょうどある位置でカメラを構えてシャッターを切った時のように、画家の視点は一定の場所に固定されていて、対象も変化のない一定不変の状態にあるということが、基本的前提になっている。画家と対象との距離の差

⋮

**1** 文中に述べられていることと合致するものはどれか。
（選択肢　略）

**2** 文中に述べられていることと合致するものはどれか。
（選択肢　略）

**3** 文中の下線部が指していることは何か。
（選択肢　略）

**4** この文の表題として妥当なものはどれか。
（選択肢　略）

## 対策は？

文章理解では、文章の内容と合致している選択肢を選ぶ**内容合致問題**、文中の語句の説明として適切なものを選ぶ**語句説明問題**、**表題をつける問題**が出題されます。このほか、空欄を補充する問題や文章全体の趣旨を選ぶ問題などもありますが、出題例は少なく、対策としては上にあげた3つの問題を考えればよいでしょう。

**■ポイント①　設問を読んでから文章を読む**

何を答えるのか把握してから、文章を読みます。設問を後回しにすると、読み返しが必要になり、時間がかかります。

**■ポイント②　答えは文章内で探す**

内容合致問題の選択肢は、ほとんどが文章内の表現で構成されています。まず、該当部分を確認してみましょう。そのとおりに述べられていればそれが正解です。一部の言い方や語句を変えたまぎらわしい選択肢があるので、あわてて判断しないことです。

**■ポイント③　語句の前後を確認**

語句説明問題では、筆者が文中でその語句をどのような意味で使っているかを考えます。その語句のある段落や語句の前後で述べられていることが多いので、チェックしてみましょう。「この」などの指示語が指す事柄は、指示語の前に必ず出てきます。

**■ポイント④　要旨を読み取る**

表題をつける問題は、文章の内容を簡単にまとめたもの、全体の要旨となるものを表題とします。明らかに誤った選択肢を除き、残った選択肢で判断します。自分で内容をまとめてみると、判断がしやすくなります。

## 問題

次の文を読んで、**1**～**4**の問いに答えなさい。

西欧の遠近法や明暗法は、ちょうどある位置でカメラを構えてシャッターを切った時のように、画家の視点は一定の場所に固定されていて、対象も変化のない一定不変の状態にあるということが、基本的前提になっている。画家と対象との距離の差を画面における形態の大小や色彩の鮮明度に翻訳して表現するのが遠近法であり、対象に対する光のあたり方を陰影によって表現するのが明暗法だからである。例えば、人物を描く場合、画家により近い場所に位置する人物は画面ではいっそう大きく、衣裳（いしょう）などの色彩もいっそう鮮明に表現され、画家より遠い場所にいる人物は、それだけ小さく、また空気の層の作用によって色彩も不鮮明に描かれる。逆に言えば、画面である人物が大きく描かれているとしても、それはその人物が画家により近い所にいるということを示すのであって特にその人物が背が高いということを表わすものではないし、同様に、不鮮明な色彩は距離がいっそう離れていることを表わすものであって、衣裳が汚れていることを表現しようとしているわけではない。だが、画家と対象との距離というものは、当然のことながら、画家の位置が変わればそれに応じて変わる。もし画家が人物を描くたびに、つねにそのすぐそばまで移動して描いたとしたら、遠近法は成立しないであろう。その代り、画中の人物は、つねに同じ大きさで鮮明に描き出されるということになる。（高階秀爾『日本美術を見る眼　東と西の出会い』）

**1**　文中に述べられていることと合致するものは、次のうちどれか。

ア　西欧絵画の遠近法や明暗法は画家の視点が一定であり、対象の状態も一定であることが前提となっている。

イ　遠近法とは、画家と対象との距離の差を現実の距離に準拠して表現する方法である。

ウ　明暗法とは、光と陰影を強調し対象の印象を強める描法である。

A　アだけ　B　イだけ　C　ウだけ　D　アとイ
E　アとウ　F　イとウ

## 解答

**1 正解 A**

ア　正しい。１文目に「画家の視点は一定の場所に固定されていて、対象も変化のない一定不変の状態にあるということが、基本的前提になっている」とある。

イ　誤り。文中には「画家と対象との距離の差を画面における形態の大小や色彩の鮮明度に翻訳して表現するのが遠近法」とあるだけで、「現実の距離に準拠して」とまでは述べていない。

ウ　誤り。文中では「対象に対する光のあたり方を陰影によって表現するのが明暗法」としか述べていない。

## 問題

**2** 文中に述べられていることと合致するものは、次のうちどれか。

ア　絵の中に描かれた人物が大きく描かれているのは、その人物が画家の近くにいるということである。

イ　西欧絵画では、画家より遠くにいる人物は、小さく不鮮明に描かれる。

ウ　不鮮明な色彩で描かれることで、衣裳が汚れていることを表している。

A　アだけ　　B　イだけ　　C　ウだけ　　D　アとイ
E　アとウ　　F　イとウ

**3** 文中の下線部その代りとは、何の代りか。

A　画家が人物のすぐそばまで移動して描く
B　遠近法が成立しない
C　画家と人物の距離が変わらない
D　明暗法が成立しない
E　画家に人物が近づいてくる

**4** この文の表題として妥当なものはどれか。

A　西欧絵画の表現方法
B　画家と人物の距離
C　画家の描写技術の高さ
D　西欧絵画の光と影
E　絵画の中の人物

## 解答

### 2 正解　D

ア　正しい。「例えば、人物を描く場合、画家により近い場所に位置する人物は画面ではいっそう大きく」表現されるとある。

イ　正しい。アと同じ箇所で「画家より遠い場所にいる人物は、それだけ小さく、また空気の層の作用によって色彩も不鮮明に描かれる」とある。

ウ　誤り。文中には、「不鮮明な色彩は、…衣裳が汚れていることを表現しようとしているわけではない」とある。

### 3 正解　B

「その代り、画中の人物は、つねに同じ大きさで鮮明に描き出される」とあるから、「その」が示している内容の代償として、画中の人物が、つねに同じ大きさで鮮明に描き出されるということである。言い換えれば、遠くの人物も近くの人物も同じように描かれるということである。それは、遠近法が成立しないということである。

### 4 正解　A

表題を選ぶ問題では、要旨をひとことで表している選択肢を選ぶ。書き出しは「西欧の遠近法や明暗法は」であり、内容も一貫して画家が対象をどのように描くか、ということを述べている。したがって、Aが妥当。

B　明暗法についても書かれているので、距離に限定した話ではない。

C　描写技術の程度については話題になっていない。

D　光と影についての話題は明暗法の説明中に出てくるのみ。

E　人物は絵画の表現技法がどのように成立しているかを示すための一例にすぎない。

## 問題

次の文を読んで、5～8の問いに答えなさい。

西洋の昔話の男性英雄の話では、男性が母親から自立してゆき、何らかの仕事を成就して、素晴らしい女性と結婚をする。これは男性の自立の物語としても読めるし、心のなかのこととして読むなら、人間が自我を確立していくときに、積極的に行動し、他と戦って成功していく、いわば男性型の自我をつくる（これは男性にとっても、女性にとっても同様である）ことを意味している。

白雪姫の話で非常に特徴的なところは、白雪姫の喉につかえていたリンゴが、まったく偶然にとび出して、姫が蘇生することである。男性の何らかの仕事の成就によって事が解決するのではない。もちろん、王子は棺に横たわっている白雪姫をもらい受け、自分のところに運んで行こうと決意している。これも大切なことだ。つまり、王子は偶然を生かす重要な受け皿として行動しているのであって、一義的に自分の行為によって姫を救うのではない。ここが、男性を主人公とするか、女性を主人公とするかによって、話が変ってくるところである。

（河合隼雄『おはなしの知恵』）

5 文中に述べられていることと合致するものは、次のうちどれか。

ア　男性が母親から自立し、素晴らしい女性と結婚することが、男性の自立である。

イ　男性も女性も、積極的に行動し、他と戦って成功していくことで、自我を確立する。

ウ　西洋の男性英雄の物語は、男性型の自我を形成することを意味している。

A　アだけ　　B　イだけ　　C　ウだけ　　D　アとイ

E　アとウ　　F　イとウ

# 解答

**5 正解　F**

ア　誤り。西洋の昔話の男性英雄の話において、それが男性の自立として読み取れるというだけであって、男性一般の自立であるとは言い切れない。

イ　正しい。「これは男性にとっても、女性にとっても同様である」とある。

ウ　正しい。「心のなかのこととして読むなら」という文脈で、そのように読み取れる。

## 問題

**6** 文中に述べられていることと合致するものは、次のうちどれか。

ア　白雪姫の話は、姫が偶然に蘇生する点で特徴的である。

イ　白雪姫の話で男性は偶然を生かす受け皿として行動している。

ウ　女性を主人公とする物語は、男性英雄を必要としない。

A　アだけ　　B　イだけ　　C　ウだけ　　D　アとイ

E　アとウ　　F　イとウ

**7** 文中の下線部ここが指す内容として、妥当なものはどれか。

A　姫を王子が救ってくれる点

B　王子が積極的に行動し、他と戦って成功していくこと

C　姫の喉につかえていたリンゴが、まったく偶然にとび出して、姫が蘇生すること

D　男性が女性的な魅力をもって描かれる点

E　男性英雄が一義的に自分の行為によって仕事を成就するのではない点

**8** この文の表題として妥当なものはどれか。

A　白雪姫の特徴

B　西洋の物語における男性英雄の行動

C　男性主人公と女性主人公の物語の違い

D　物語と現実の人生との関係

E　男性英雄のパターン

# 解答

## 6 正解 D

ア　正しい。姫が偶然に蘇生する、すなわち「男性の何らかの仕事の成就によって事が解決するのではない」点で特徴的である。

イ　正しい。文中に「王子は偶然を生かす重要な受け皿として行動しているのであって、一義的に自分の行為によって姫を救うのではない」とある。

ウ　誤り。白雪姫の話は、王子が偶然を生かす受け皿となって成立しているので、男性が不要だとはいえない。

## 7 正解 E

下線部「ここ」は、前文の内容を指している。「つまり、王子は偶然を生かす重要な受け皿として行動しているのであって、一義的に自分の行為によって姫を救うのではない」と同内容の選択肢を選択すればよい。すると、最も妥当なのは、Ｅ。

## 8 正解 B

男性英雄の物語中での行動を、白雪姫を例に出しながら述べている。したがって、Ｂが妥当。

Ａ　前半では西洋の男性英雄の話の読み解き方を述べており、白雪姫の特徴だけを述べているのではない。

Ｃ　「ここが、男性を主人公とするか、女性を主人公とするかによって、話が変ってくるところである」という文で終わってはいるが、その詳細は述べられていない。

Ｄ　物語が現実の人生とどう関係するかという点については書かれていない。

Ｅ　男性英雄の具体像は白雪姫のみで、いくつもの類型が示されているわけではない。

# 7 計算

SPI-N　SPI-H

## どんな検査？

計算は、SPI-Nの検査のひとつで、加減乗除の計算問題です。分数、小数の計算も出題されます。答えは選択肢から選びます。

SPI-Hでは、**非言語能力検査**に含まれます。計算問題の内容や難易度はSPI-Nと大きく変わりませんが、SPI-Hでは計算式の中の空欄に入る数値を求める四則逆算問題も出題されます。

### 例題

次の計算をしなさい。

**1** $(20+4)\times 4=$

A　36　　B　56　　C　96　　D　100　　E　816

次の式の□に入る数値を選びなさい。

**2** $\square\times 2+3=11$

A　2　　B　3　　C　4　　D　6　　E　9

解答

**1 正解　C**

(　)内を先に計算し、$24\times 4=96$。正解のCを選びます。

**2 正解　C**

「＋3」を右辺に移して計算します。$\square\times 2=11-3$、$\square\times 2=8$、$\square=8\div 2=4$。正解のCを選びます。

## ■対策は？

### ■ポイント① 計算速度をアップする

計算問題は時間との勝負になることが多いので、短時間で正確に計算できるよう、練習を積んでおきましょう。問題数をこなせば計算速度は必ず上がります。正確さについては、以下のポイントを確認します。

### ■ポイント② 乗除が先、加減はあと

加減乗除の混ざった計算の鉄則です。必ず、乗除計算(かけ算、割り算)から計算し、その答えに対して加減の計算(足し算、引き算)をします。ただし、( )のある式では、( )内の計算が優先されます。

### ■ポイント③ 分数のかけ算と割り算

分数のかけ算は、分母どうし、分子どうしをかける、分数の割り算は、割る数の分母と分子をひっくり返してかける、これをしっかり覚えます。また、通分と約分についても、復習しておきましょう。

### ■ポイント④ 移項するときは符号に注意

四則逆算を解くとき、移項させて解くことがよくあります。ミスを犯しがちなのは、符号の変化です。たとえば引き算「－２」を他辺に移項した場合、「＋２」となります。足し算なら、その逆です。

### ■ポイント⑤ マイナス符号は取り扱い注意

移項以外でも、マイナス符号は扱いに注意が必要です。マイナスの数どうしをかけると正の数になります。また、「－(－２)」という場合は、( )をはずすと「＋２」となります。マイナス２つでプラスに変わると覚えておきましょう。

## 問題

次の計算をしなさい。

**1** $80 \times 42 =$

A　2340　　B　3360　　C　3600　　D　4230　　E　4420

**2** $(60 + 30) \div 25 =$

A　1.2　　B　2.4　　C　2.75　　D　3.6　　E　3.75

**3** $0.43 + 12.86 =$

A　12.49　　B　13.09　　C　13.29　　D　13.33　　E　13.99

**4** $3200 \div 40 + 120 =$

A　20　　B　120　　C　180　　D　200　　E　800

**5** $0.9 \div 0.15 =$

A　0.06　　B　0.135　　C　3　　D　4.5　　E　6

# 解答

## 1 正解 B

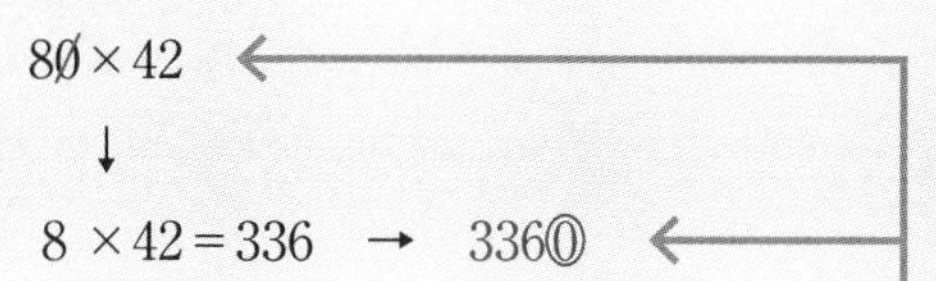


桁数が少ないほうが計算は簡単。80から 0 をとって 8 として、8 ×42＝336 を計算する。とった 0 を答えに戻すのを忘れずに。

## 2 正解 D

(60＋30)÷25＝90÷25＝3.6

(　)内を先に計算する。

## 3 正解 C

0.43＋12.86

↓

43＋1286＝1329 → 13.29

小数点以下の桁数が同じなので、小数点をはずして計算。答えに小数点を戻す。

## 4 正解 D

3200÷40＋120＝80＋120＝200

320̸0÷40̸＝80

加減乗除が混ざった式では、乗除を先に計算する。

## 5 正解 E

0.9÷0.15

↓

90÷15＝ 6

両方の数に100をかけて小数点をはずして計算。両方に同じ数をかけた場合、割り算の答えはそのままでよい。

## 問題

**6** $120 \times 0.015 =$

A 1.8　B 3　C 18　D 30　E 32

**7** $\frac{2}{5} + \frac{3}{45} =$

A $\frac{1}{15}$　B $\frac{1}{9}$　C $\frac{9}{45}$　D $\frac{7}{15}$　E $\frac{33}{45}$

**8** $\frac{1}{3} - \frac{1}{4} =$

A $\frac{1}{12}$　B $\frac{1}{6}$　C $\frac{1}{3}$　D $\frac{1}{4}$　E $\frac{1}{5}$

**9** $\frac{2}{3} \times \frac{5}{8} =$

A $\frac{10}{21}$　B $\frac{5}{12}$　C $\frac{2}{5}$　D $\frac{7}{24}$　E $\frac{7}{12}$

**10** $\frac{3}{4} \div \frac{9}{2} =$

A $\frac{1}{9}$　B $\frac{1}{6}$　C $\frac{1}{3}$　D $\frac{1}{2}$　E $\frac{27}{8}$

## 解答

### 6 正解　A

$120 \times 0.015$

↓

$120 \times 15 = 1800$ → $1.8$

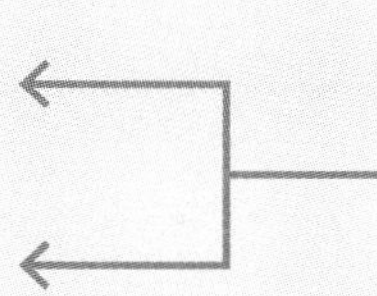

小数点をはずして計算して、答えに小数点を戻す。右に3つ移動した場合、戻すときは左に3つ移動。

### 7 正解　D

$$\frac{2}{5} + \frac{3}{45} = \frac{18}{45} + \frac{3}{45} = \frac{21}{45} = \frac{7}{15}$$

分数の足し算は通分して計算する。答えを約分するのを忘れずに。

### 8 正解　A

$$\frac{1}{3} - \frac{1}{4} = \frac{4}{12} - \frac{3}{12} = \frac{1}{12}$$

分数の引き算もまず通分。

### 9 正解　B

$$\frac{2}{3} \times \frac{5}{8} = \frac{2 \times 5}{3 \times 8} = \frac{10}{24} = \frac{5}{12}$$

分数のかけ算は分母と分母をかけ算、分子と分子をかけ算する。答えが約分できるものは約分する。

### 10 正解　B

$$\frac{3}{4} \div \frac{9}{2} = \frac{3}{4} \times \frac{2}{9} = \frac{3 \times 2}{4 \times 9} = \frac{6}{36} = \frac{1}{6}$$

分数の割り算は割る数の逆数(分母と分子を入れ替えた数)をかける。

## 問題

次の式の□に入る数値を選びなさい。

**11** $(5+\square)\times 4=32$

A　1.5　B　2　C　3　D　4　E　7.5

**12** $(12-\square)\div 4=2.5$

A　1.5　B　2　C　2.5　D　4　E　7.5

**13** $9\times\frac{2}{3}=\square\times\frac{1}{2}$

A　6　B　$8\frac{2}{3}$　C　9　D　12　E　$12\frac{1}{3}$

**14** $6.5\times\square=26\div\frac{1}{5}$

A　0.5　B　20　C　25　D　100　E　200

**15** $3\times\square\div 0.2=54+36$

A　0.8　B　3　C　3.5　D　6　E　8

# 解答

## 11 正解 C

$(5+\square)\times 4=32$ ← （　）の4倍が32。したがって32÷4が（　）内の数。

↓ 左辺の×4を右辺に移し、÷4に。

$(5+\square)=32\div 4=8$、$\square=8-5=3$

## 12 正解 B

$(12-\square)\div 4=2.5$ ← （　）を4で割った数が2.5。したがって、2.5×4が（　）内の数。

↓ 左辺の÷4を右辺に移し、×4に。

$(12-\square)=2.5\times 4=10$、$\square=12-10=2$

## 13 正解 D

$9\times\frac{2}{3}=\square\times\frac{1}{2}$ ← 先に左辺を計算。$9\times\frac{2}{3}=\frac{18}{3}=6$

↓ 分数で割るときはその逆数（分母と分子を逆にした数）をかける。

$6=\square\times\frac{1}{2}$、$\square=6\div\frac{1}{2}=6\times\frac{2}{1}=12$

## 14 正解 B

$6.5\times\square=26\div\frac{1}{5}$ ← 先に右辺を計算。$26\div\frac{1}{5}=26\times\frac{5}{1}=130$

↓

$6.5\times\square=130$、$\square=130\div 6.5=20$

## 15 正解 D

$3\times\square\div 0.2=54+36$ ← 先に右辺を計算。54+36=90

↓

$3\times\square\div 0.2=90$

↓ 「3×」と「÷0.2」を右辺に移す。「÷3」「×0.2」と変わるのに注意。

$\square=90\div 3\times 0.2$、$\square=6$

## 問題

**16** $(12\times 8)\div(11-\square)=\dfrac{72}{6}$

A　2　　B　3　　C　4　　D　5　　E　7

**17** $\dfrac{14}{5}\div\dfrac{7}{3}=\square\times\dfrac{2}{3}$

A　$\dfrac{2}{3}$　　B　$\dfrac{4}{5}$　　C　$\dfrac{5}{6}$　　D　$\dfrac{5}{4}$　　E　$\dfrac{9}{5}$

**18** $(\square+\square\times 4)\times 30=60\times 12.5$　（□には同じ数値が入る）

A　2　　B　3　　C　4　　D　5　　E　12

# 解答

## 16 正解　B

$(12\times 8)\div(11-\square)=\frac{72}{6}$

$12\times 8=96$　　　$72\div 6=12$ ←（　）内と右辺を先に計算。

↓

$96\div(11-\square)=12$

$(11-\square)=96\div 12=8$

$11-\square=8$、$\square=3$

## 17 正解　E

$\frac{14}{5}\div\frac{7}{3}=\square\times\frac{2}{3}$

$\frac{14}{5}\div\frac{7}{3}=\frac{14}{5}\times\frac{3}{7}=\frac{6}{5}$ ← 先に左辺を計算。

↓

$\frac{6}{5}=\square\times\frac{2}{3}$、$\square=\frac{6}{5}\div\frac{2}{3}=\frac{6}{5}\times\frac{3}{2}=\frac{18}{10}=\frac{9}{5}$

逆数をかけて計算、約分する。

## 18 正解　D

$(\square+\square\times 4)\times 30=60\times 12.5$

$60\times 12.5=750$ ← 先に右辺を計算。

↓

$(\square+\square\times 4)\times 30=750$

↓

$5\square\times 30=750$、$5\square=750\div 30=25$、$\square=25\div 5=5$

□には同じ数値が入るので、□＋□× 4 ＝ 5□となる。

SPI-H

# 文章題Ⅰ　基本公式で解く

## どんな検査？

文章題は数学の文章問題です。SPI-Hの**非言語能力検査**に含まれます。ここでは、文章題のうち、公式を利用して解くものをまとめました。速さの問題、仕事算、濃度の問題、損益の問題などがあります。どのような問題かを例題で確認してみましょう。

### 例題

**1** 時速40kmの自動車で、Q町までは２時間半かかる。Q町までの距離はいくらか。
（選択肢　略）

**2** １日の３人の仕事量の和が全体の$\frac{1}{8}$のとき、何日で仕事が終わるか。
（選択肢　略）

**3** 濃度８％の食塩水が300ｇある。食塩水の中に入っている食塩は何ｇか。
（選択肢　略）

**4** 原価500円の品物に２割の利益を見込んで定価をつけた。定価はいくらか。
（選択肢　略）

## 対策は？

公式を利用して解く問題では、わかっている数値を公式に代入して未知の数値を求める、というのが解法の基本です。何がわかっていて、何がわかっていないのか、求めるものは何かを問題文から読み取ります。必要な数値を、計算などで求めなければならないこともあります。



**速さ**

### ■ポイント① 公式は「はじき」と覚える

速さの問題の基本公式は、次の３つです。

**距離＝速さ×時間**

$$速さ＝\frac{距離}{時間}$$

$$時間＝\frac{距離}{速さ}$$

次のように覚えます。

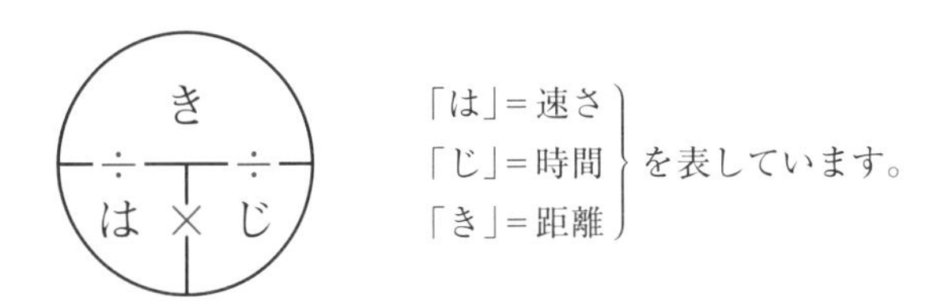


縦は÷(分数)、横は×(かけ算)です。左下から「はじき」と覚えます。

### ■ポイント② 単位をそろえる

問題により、速さの表し方は、時速、分速、秒速といろいろあります。距離もkmの場合、mの場合などがあります。たとえば、速さがＰ(時速)、かかった時間がＱ(分)で表されている問題で距離を求める場合、Ｐ×Ｑでは、正しい答えが出ません。公式を使う場合は、単位をそろえる必要があります。

## 仕事算

### ■ポイント①　全体の仕事量を１とする

仕事算は、１人の１日あたりの仕事量などから、全体の仕事量や仕事にかかる日数などを求めるもので、全体の仕事量を１として、分数で計算します。基本の公式は次のとおりです。

$$1日あたりの仕事量=\frac{1}{所要日数}$$

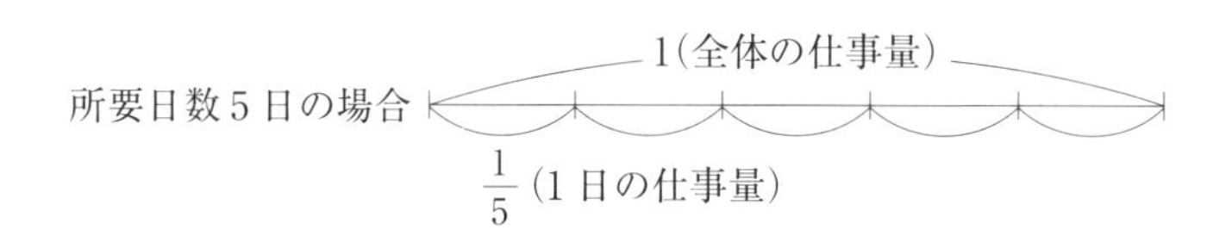


$$所要日数=\frac{1}{1日あたりの仕事量}$$

何人かで一緒に仕事をする場合は、１日の仕事量はそれぞれの人の仕事量の和となります。

### ■ポイント②　給排水の問題も仕事算

水槽へ一定量ずつ給水や排水を行い、その時間などを求める問題もよく出題されます。水槽算とよばれることもありますが、考え方は仕事算と同じです。全体の給水量を全体の仕事量、単位あたりの給水量を１日あたりの仕事量と考え、基本の公式を利用します。

## 濃度

### ■ポイント①　食塩の重さを「食塩水の重さ」で割る

食塩水の濃度は次の基本公式で求めます。

$$濃度=\frac{食塩の重さ}{食塩水の重さ}$$

食塩水の重さ＝食塩の重さ＋水の重さ

ここでポイントとなるのが、分母が水ではなく食塩水の重さだということです。これは、砂糖水や薬剤の溶液など、すべての濃度の問題に共通です。非常に間違えやすいので、しっかりと覚えてください。

## 損益

### ■ポイント① 用語の意味を把握する

損益の問題は、公式を利用して、原価や利益などを求めるものです。まずは、問題に出てくる用語の意味をしっかり覚えることです。

定価……店がつけるタグの値段
原価(仕入れ値)……仕入れの値段
売価(売値)……実際の販売価額
利益……店のもうけ。利益がマイナスになると損失
割引率……定価に対する割引の割合

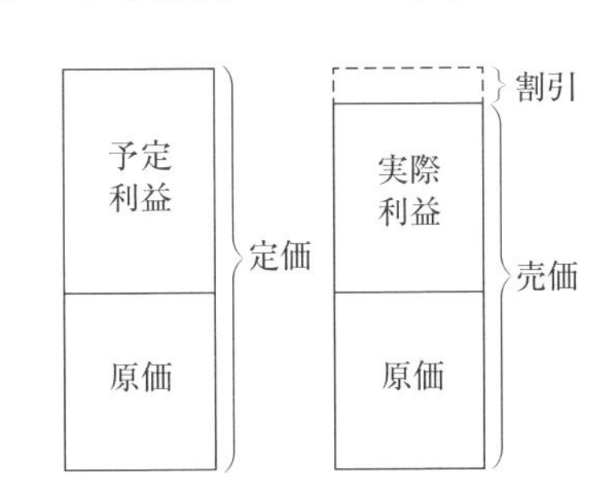


### ■ポイント② 3つの基本公式をおさえる

損益の問題には、次の3つの公式を利用します。

**定価＝原価×(1＋見込む利益の割合)**
**売価＝定価×(1－割引率)**
**利益(損失)＝売価－原価**

ただし、実際の問題は、1つの公式を使えば答えが出るような簡単なものばかりではありません。いくつかの公式を使って、答えにつながる数値を導いたうえで解いていくものもあります。問題をしっかり読み込み、答えを出すのに必要な公式を考えます。

### ■ポイント③ 歩合、百分率の換算をすばやく

利益や割引の割合は、歩合や百分率で示されます。1割は10分の1、すなわち0.1で、百分率表記では10%です。問題文も選択肢もいろいろな表記で出題されますので、歩合・百分率・小数の換算がすばやくできるようにします。

## 問題

**1** 自動車を利用してP地点からQ地点までドライブにでかけた。

Ｐ地点　発　11：00
↓
Ｑ地点　着　12：45

P地点からQ地点までの距離は70kmある。平均時速は何kmか。

A 35km　B 40km　C 50km　D 55km
E 60km　F 65km

**2** 車を使ってＰ地点からドライブにでかけた。Ｑ地点で15分休憩した後、目的地Ｒに14時45分に到着した。

Ｐ地点　発　10：20
↓
Ｑ地点　着　13：00
　　　　発　13：15
↓
Ｒ地点　着　14：45

（1）Ｐ地点とＱ地点の間を平均時速60kmで走った場合、ＰＱ間の距離は何kmか。

A 45km　B 50km　C 60km　D 65km
E 75km　F 100km　G 160km

（2）ＱＲ間の距離は97.5kmある。ＱＲ間を平均時速何kmで走ったことになるか。

A 45km　B 50km　C 52.5km　D 58km
E 65km　F 67.5km　G 75.5km

## 解答

**1 正解 B**

速さ＝$\frac{距離}{時間}$の公式を使う。

Ｐ地点からＱ地点までの所要時間は、到着時刻から出発時刻を引けば求められる。12時45分－11時＝１時間45分。時速を求めるため、これを時間に直す。１時間は60分なので、45分を60で割ると、$\frac{45}{60}=\frac{3}{4}$時間、所要時間は$1+\frac{3}{4}=\frac{7}{4}$時間。

これを公式に入れて時速を求める。$70\div\frac{7}{4}=70\times\frac{4}{7}=40$［km／時］

**2 正解 （1）G （2）E**

（1） 距離＝速さ×時間の公式を使う。

到着時刻と出発時刻から所要時間を求める。13時－10時20分＝２時間40分。速さが時速で表されているので、単位を統一し、40分を時間に直す。$40\div60=\frac{2}{3}$時間、所要時間は$2+\frac{2}{3}=\frac{8}{3}$時間。

これを公式に入れて距離を求める。$60\times\frac{8}{3}=160$［km］

（2） 速さ＝$\frac{距離}{時間}$の公式を使う。

ＱＲ間の所要時間は、14時45分－13時15分＝１時間30分＝$\frac{3}{2}$時間であるから、$97.5\div\frac{3}{2}=97.5\times\frac{2}{3}=65$［km／時］

## 問題

**3** ある仕事をするのにA１人で15時間、B１人で12時間、C１人で60時間かかる。

（1） ３人が同時に仕事をすると、何時間で終わるか。

A ６時間　B ８時間　C ９時間　D 10時間
E 12時間　F 14時間

（2） ３人で４時間働いたあと、A１人で残りの仕事をした。Aは残り何時間働いたか。

A ２時間　B ３時間　C ４時間　D ５時間
E ６時間　F ７時間

**4** ある水槽を満たすには、X管で９分、Y管で27分かかり、満水の水槽を空にするには、Z管で36分かかる。

（1） X管とY管の両方でこの水槽を満たすには、どれだけの時間がかかるか。

A ６分25秒　B ６分45秒　C ７分15秒　D ８分00秒
E ８分25秒　F ８分45秒

（2） X管とZ管を同時に６分使い、その後、Y管１本で水槽に水を入れた。この水槽を満たすには全部でどれだけの時間がかかったか。

A 15分30秒　B 18分45秒　C 19分30秒　D 20分10秒
E 22分15秒　F 24分30秒

# 解答

**3** **正解**　（1）**A**　（2）**D**

（1）　日数を時間数とおき、1時間あたりの仕事量＝1÷所要時間と、公式を変化させる。A、B、Cそれぞれの1時間あたりの仕事量は、Aが$\frac{1}{15}$、Bが$\frac{1}{12}$、Cが$\frac{1}{60}$。3人で働いたときの1時間あたりの仕事量は、$\frac{1}{15}+\frac{1}{12}+\frac{1}{60}=\frac{4}{60}+\frac{5}{60}+\frac{1}{60}=\frac{10}{60}=\frac{1}{6}$。全体の所要時間は、$1\div\frac{1}{6}=6$［時間］

（2）　3人で4時間働いたときの仕事量は、$\frac{1}{6}\times 4=\frac{4}{6}=\frac{2}{3}$。残った仕事量は、$1-\frac{2}{3}=\frac{1}{3}$。これをA1人で行うから、必要な時間は、$\frac{1}{3}\div\frac{1}{15}=\frac{1}{3}\times\frac{15}{1}=\frac{15}{3}=5$［時間］

**4** **正解**　（1）**B**　（2）**C**

（1）　水槽の容量を1として、仕事の計算と同じように考える。X管は1分間で$\frac{1}{9}$、Y管は$\frac{1}{27}$の給水ができる。両方を使って1分間に入れられる水の量は、$\frac{1}{9}+\frac{1}{27}=\frac{3}{27}+\frac{1}{27}=\frac{4}{27}$。水槽を満たすための所要時間は、$1\div\frac{4}{27}=1\times\frac{27}{4}=6.75$［分］。

0.75分を秒に直すと、0.75×60＝45。したがって、6分45秒

（2）　Z管は1分間で$\frac{1}{36}$の水を排水するので、X管とZ管を同時に6分使用すると、$\left(\frac{1}{9}-\frac{1}{36}\right)\times 6=\frac{1}{2}$の水が入る。残りの$1-\frac{1}{2}=\frac{1}{2}$をY管1本で満たすので、$\frac{1}{2}\div\frac{1}{27}=13.5$［分］。水槽を満たすのに必要な時間は、6＋13.5＝19.5［分］→19分30秒

## 問題

**5** 5％の食塩水400ｇと12％の食塩水300ｇを混ぜると、何％の食塩水ができるか。

A　4％　　B　5％　　C　8％　　D　7％
E　10％　　F　18％

**6** 15％の食塩水が400ｇある。ここから100ｇを取り出して捨てたのち、同量の水を入れたら、何％の食塩水になるか。

A　7.75％　　B　8.5％　　C　10.75％　　D　11.25％
E　12.5％　　F　12.75％

# 解答

## 5 正解　C

濃度［%］$=\frac{\text{食塩の重さ}}{\text{食塩水の重さ}}\times 100$の公式を使う。

両方の食塩水に入っている食塩の重さを求める。

5%の食塩水　$400\times\frac{5}{100}=20$［g］

12%の食塩水　$300\times\frac{12}{100}=36$［g］

これらを混ぜた場合の食塩の重さは、20＋36＝56［g］、食塩水の重さは、400＋300＝700［g］。できあがる食塩水の濃度は、

56÷700×100＝8［%］

## 6 正解　D

400gの食塩水から100g取り出すと、400－100＝300［g］。濃度は15%なので、食塩の重さは、$300\times\frac{15}{100}=45$［g］となる。ここに100gの水を入れると、全体量400g、食塩45gの食塩水ができる。濃度は、

45÷400×100＝11.25［%］

## 問題

**7** ある品物を600円で仕入れて、2割の利益を見込んで定価をつけたら、いくらになるか。

A 500円　B 550円　C 620円　D 680円
E 720円　F 750円

**8** ある品物を原価の3割の利益を見込んで、2,600円の定価をつけた。原価はいくらか。

A 1,500円　B 1,600円　C 1,700円　D 1,800円
E 1,900円　F 2,000円

**9** 8,000円で仕入れた品物に、その原価の20%の利益を見込んで定価をつけたが、売れないため、15%引きで販売することにした。いくらの利益または損失になるか。

A 160円の損失　B 120円の損失　C 60円の損失
D 60円の利益　E 120円の利益　F 160円の利益

**10** 原価2,000円の品物を定価の20%引きで売ると、240円の損になる。定価はいくらか。

A 0円　B 900円　C 1,200円　D 1,500円
E 1,900円　F 2,200円

## 解答

**7 正解 E**

定価＝原価×(１＋見込む利益の割合)の公式を使う。

２割の利益ということは、小数にすると0.2。原価とこれを公式に入れて計算する。

600×(１＋0.2)＝720［円］

**8 正解 F**

定価＝原価×(１＋見込む利益の割合)の公式から、原価＝定価÷(１＋見込む利益の割合)の形に変化させて計算する。

利益が３割ということは、小数にすると0.3だから、

2600÷(１＋0.3)＝2000［円］

**9 正解 F**

原価8,000円、20%の利益(小数にすると0.2)を公式に入れて定価を求める。8000×(１＋0.2)＝9600［円］

定価の15%引き(割引率は0.15)で売価を計算する。売価＝定価×(１－割引率)の公式を使う。9600×(１－0.15)＝8160［円］

利益＝売価－原価の公式で利益を求める。8160－8000＝160［円］

**10 正解 F**

利益＝売価－原価の公式から、売価＝原価＋利益の形に変化させて売価を計算する。

240円の損になるということは、利益がマイナスということであり、売価は、2000－240＝1760［円］。これが定価の20%引きとなるので、売価＝定価×(１－割引率)の公式を、定価＝売価÷(１－割引率)に変化させて、定価を計算する。

1760÷(１－0.2)＝1760÷0.8＝2200［円］

# 文章題Ⅱ　図で解く

SPI-H

## どんな検査？

文章題は数学の文章問題です。SPI-Hの**非言語能力検査**に含まれます。ここでは、文章題のうち、**図**を利用して解くものをまとめました。割合の問題、年齢算、集合の問題などがあります。どのような問題かを例題で確認してみましょう。

**例題**

**1** ある人が読書を始めた。1日目は全体の5分の1を読み、次の日は全体の4分の1を読んだ。2日目の読書を終えたとき、本の残りのページは、全体のどれだけになっているか。

（選択肢　略）

**2** 現在、父は32歳、子どもは4歳である。父の年齢が子どもの年齢の3倍になるのは何年後か。

（選択肢　略）

**3** あるクラス40人に読んでいるコミック誌の調査をしたところ、P誌を読んでいる人が28人、Q誌を読んでいる人が15人、両方を読んでいる人が11人いた。どちらも読んでいない人は何人か。

（選択肢　略）

## 対策は？

図を利用して解く問題は、まず問題文を図で表してみるのが基本です。どんな図で表すのがよいかは、問題の種類で異なります。割合の問題や年齢算では、**線分図**を使うとわかりやすいし、集合では、**ベン図**を使うのが一般的です。

どのような図を使う場合でも、問題文をしっかりと読み、数値などを間違えないことが大切です。また、図はできるだけ簡単につくれるものにしましょう。図の作成に時間をとられては、本末転倒です。

### 割合

**■ポイント①　何に対する割合かをおさえる**

割合の問題では、何に対しての割合かを見極めることがポイントです。例題では、１日目も２日目も読んだ量の割合は本全体に対する割合ですが、たとえば２日目が「残ったページ数に対する割合」であった場合、それを全体に対する割合に直さなければ、答えを出すことができません。

**■ポイント②　線分図をかく**

線分図をかくと、何に対する割合かがはっきりします。いくつもの割合が出てくる場合は、必ず図で確認します。

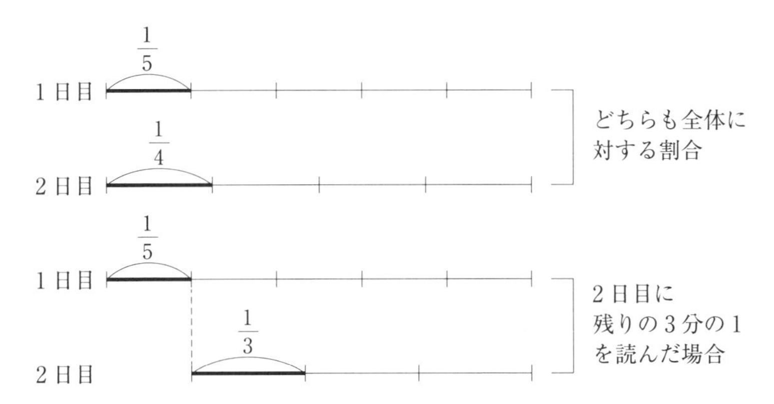

## 年齢算

### ■ポイント①　誰もが一緒に年をとる

親が1歳年をとると、子どもも1歳年をとります。$x$年前なら、親も子も$x$歳ずつ若かったことになります。また、同じに年をとっていくのですから、年齢差は何年たっても変わりません。

### ■ポイント②　問われる年数を$x$年として図をかく

例題を図で考えると次のようになります。

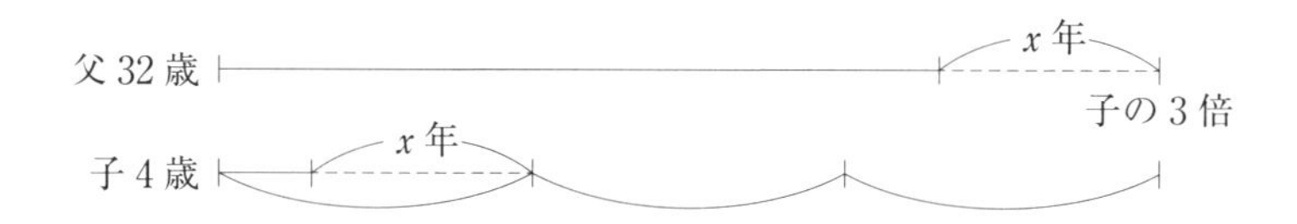


図をかくことで、親と子どもの年齢の関係がはっきりします。それをもとに$x$を求める計算式をつくりましょう。

## 集合

### ■ポイント①　ベン図をかく

集合の問題はベン図で解きます。ベン図は次の手順で作成します。

①外枠をかき、これを全体の数とする

②Aの集合の円をかく

③Bの集合の円をかく

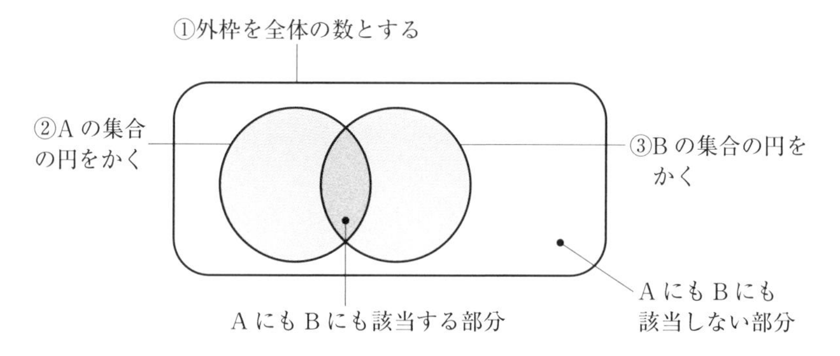

ＡとＢの円の重なった部分が、ＡにもＢにも該当する部分です。両方に該当する部分の数はＡの集合の数にもＢの集合の数にも含まれます。また、２つの円以外の部分は、ＡにもＢにも該当しない部分となります。

なお、ベン図の作成にあたっては、どの集合でベン図をかくかがポイントです。たとえば、何かをしているかしていないか、していることが好きか嫌いか、というように2通りの要素が出てくる場合、しているかしていないか、好きか嫌いか、どちらでもベン図をつくることができます。問われている内容を確認し、適切なベン図を作成します。

**■ポイント②　両方に該当する部分の数に注意**

Ａの集合の数を$X$、Ｂの集合の数を$Y$、ＡにもＢにも該当する部分の数を$Z$とすると、

**全体の数＝($X+Y-Z$)＋ＡにもＢにも該当しない部分の数**

となります。ＡにもＢにも該当する部分の$Z$は、$X$にも$Y$にも含まれますので、これを引きます。

## 問題

**1** ある人が本を読み始めた。1日目に全体の4分の1を読み、2日目には残りの3分の2を読み、3日目に60ページを読んだら、読み終えることができた。

（1） 2日目までに読んだページ数は全体のどれだけにあたるか。

A $\frac{3}{7}$　　B $\frac{2}{5}$　　C $\frac{1}{3}$　　D $\frac{3}{5}$

E $\frac{3}{4}$　　F $\frac{4}{5}$

（2） この本は全部で何ページあるか。

A 90ページ　B 120ページ　C 180ページ　D 240ページ

E 290ページ　F 360ページ

**2** ある高校であるゲームソフトの保有率を調査したところ、生徒の40%は持っていた。生徒全体のうち男子は55%であり、男子の保有率は60%だった。女子の保有率は何%か（必要な場合は、最後に小数第2位を四捨五入しなさい）。

A 13.0%　B 15.6%　C 20.0%　D 25.6%

E 27.5%　F 28.0%

# 解答

**1 正解**　(1)**E**　(2)**D**

(1)　1日目の4分の1は本全体に対する割合、2日目の3分の2は残りに対する割合なので、その3分の2を全体に対する割合に直す。$\frac{3}{4}\times\frac{2}{3}=\frac{6}{12}=\frac{1}{2}$

2日目までに読んだページ数は、$\frac{1}{4}+\frac{1}{2}=\frac{3}{4}$

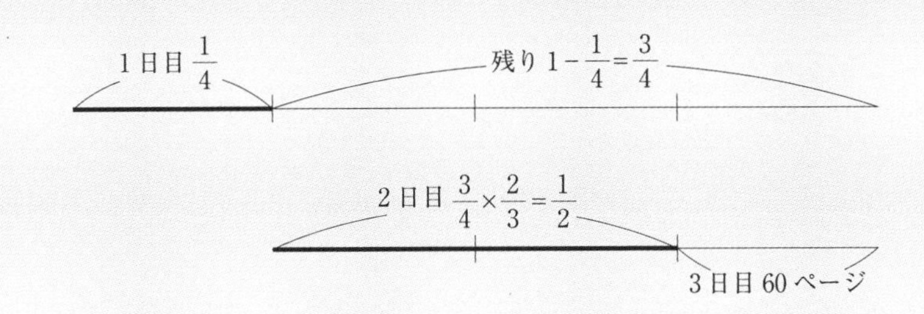


(2)　(1)より、2日目までに読んだページ数は$\frac{3}{4}$、2日目終了時の残りは$1-\frac{3}{4}=\frac{1}{4}$。これが60ページなので、全体のページ数を$x$として、

$x\times\frac{1}{4}=60$、$x=60\div\frac{1}{4}=60\times\frac{4}{1}=240$［ページ］

**2 正解　B**

生徒全体の数を仮に100とすると解きやすい。男子の人数は100×0.55％＝55［名］、男子の保有者は55×0.6＝33［名］。生徒全体の保有率が40％だから、持っている生徒は100×0.4＝40［名］、したがって、女子の保有者は40－33＝7［名］。女子の保有率は7÷45＝0.1555…、0.1555×100＝15.55［％］→15.6％

## 問題

**3** 現在、父は44歳で、２人の子どもの年齢は16歳と12歳である。父の年齢が子ども２人の年齢の和の２倍だったのは何年前か。

A　3年　　B　4年　　C　5年　　D　6年
E　7年　　F　8年

**4** 現在、両親２人の年齢の和は子どもの年齢の６倍である。４年前には８倍であったとすると、４年前の子どもの年齢はいくつか。

A　6歳　　B　7歳　　C　8歳　　D　10歳
E　11歳　　F　12歳

# 解答

**3 正解　B**

父の年齢が子ども２人の年齢の和の２倍だったのが$x$年前とすると、$x$年前の父の年齢は$(44-x)$歳、２人の子どもの年齢は$(16-x)$歳、$(12-x)$歳となる。

父の年齢が子ども２人の年齢の和の２倍だったということは、

$$44-x=2\{(16-x)+(12-x)\}$$

と表せる。これを解いて、

$$44-x=32-2x+24-2x$$

$$3x=12$$

$$x=4$$ ［年］

**4 正解　C**

現在の両親の年齢の和を$x$歳、子どもの年齢を$y$歳とすると、次の式が成り立つ。

$x=6y$…………………………①

$x-(2\times4)=8(y-4)$……②

②より、

$$x-8=8y-32$$

$$x=8y-24$$

これに①を代入すると、

$$6y=8y-24$$

$$2y=24$$

$$y=12$$

４年前は$12-4=8$［歳］

## 問題

**5** 150人の生徒に数学と英語の試験を行った。数学の合格者は85人、英語の合格者は102人、２科目ともに不合格であったものは14人であった。２科目とも合格したものは何人か。

A　19人　　B　35人　　C　36人　　D　40人
E　49人　　F　51人

**6** 学生200名に旅行についてアンケートを行った。結果は以下のとおりである。

| 質問項目 | アンケート結果 |
|---|---|
| 旅行は好きですか | はい155人　いいえ45人 |
| 沖縄に行ったことはありますか | はい80人　いいえ120人 |

旅行が好きだと答えた人で沖縄に行ったことがあると答えた人は65人いた。旅行は好きではないと回答した人で沖縄に行ったことのある人は何人か。

A　12人　　B　15人　　C　28人　　D　30人
E　31人　　F　36人

# 解答

## 5 正解 F

数学の合格者数、英語の合格者数でベン図をかく。

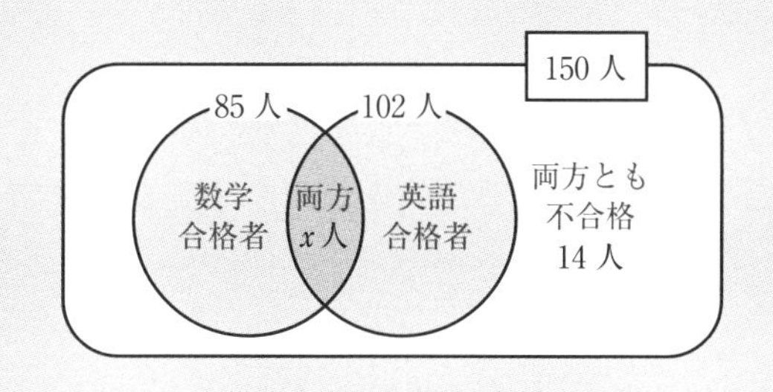


2科目(両方)とも合格した人数を$x$とすると、

$$150-(85+102-x)=14$$
$$150-85-102+x=14$$
$$x=51$$ [人]

## 6 正解 B

旅行が好きな人、沖縄に行ったことがある人で、ベン図をかく。

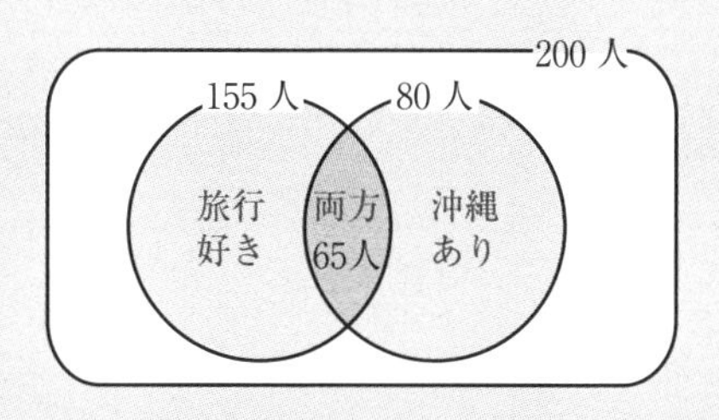


旅行が好きで沖縄に行ったことがある人は65人、これがベン図の重なっている部分の人数になるので、沖縄に行ったことがある80人から、重なっている部分の人数を引く。

$80-65=15$ [人]

# 10 順列・組合せ・確率

SPI-H

## どんな検査？

順列・組合せ・確率は、SPI-Hの**非言語能力検査**に含まれます。ある事柄が起こりうるすべての場合の数を求めるのが順列・組合せ、ある事柄がどれくらいの割合で起こるかを求めるのが確率です。

### 例題

**1** 1、2、3、4、5の5枚のカードがある。このカードから3枚を選び、3桁の整数をつくるとき、全部で何通りの整数ができるか。

（選択肢　略）

**2** A、B、C、D、Eの5人のグループから3人の選手を選ぶとき、選び方は何通りあるか。

（選択肢　略）

**3** 赤玉が3個、白玉が4個入っている袋がある。この袋から1個取り出し、それを戻さずにさらに1個取り出すとき、取り出した2個が赤玉である確率はいくらか。

（選択肢　略）

## 対策は？

### ■ポイント① 並べるなら順列、選ぶだけなら組合せ

全体からいくつかを選ぶ場合、選んだものに**順序をつける**場合を**順列**、選んだものに**順序をつけない**場合を**組合せ**といい、区別します。例題のように、５枚のカードから３枚を選び数字をつくる場合では、同じ３枚のカードであっても、123と並べた場合と231と並べた場合では違う数字になります。一方、５人から３人を選ぶとき、A、B、Cと選んでも、B、C、Aと選んでも、同じ３人を選ぶことになるので、選び方としては同じと考えます。

### ■ポイント② 計算方法は手順として暗記

順列の公式　$_{n}\mathbf{P}_{r}$　（$n$個から$r$個を取り出して並べる場合）

左の数$n$からスタート

$$_{n}P_{r}=n\times(n-1)\times(n-2)\times\cdots\times(n-r+1)$$

右の数$r$の分だけ数字を１ずつ減らして、かける

組合せの公式　$_{n}\mathbf{C}_{r}$　（$n$個から$r$個を選ぶ場合）

分子は$_{n}P_{r}$と同じ

$$_{n}C_{r}=\frac{n\times(n-1)\times(n-2)\times\cdots\times(n-r+1)}{r\times(r-1)\times\cdots\times1}$$

分母は右の数$r$からスタートして、
数字を１ずつ減らして１までかける

### ■ポイント③ 確率は公式を覚え、公式を活用する

**確率＝$\dfrac{\text{ある事柄が起こる場合の数}}{\text{起こりうるすべての場合の数}}$**

AまたはBが起こる確率＝Aが起こる確率＋Bが起こる確率

AとBが連続して起こる確率＝Aが起こる確率×Bが起こる確率

Aが少なくとも１回起こる確率＝１－Aが１回も起こらない確率

## 問題

**1** 男子５人、女子５人の10人グループから４人の委員を選ぶとき、次の各問いに答えなさい。

（１） 選ばれた４人の委員から委員長と副委員長を選ぶ選び方は何通りあるか。

A ６通り　B 12通り　C 16通り　D 24通り
E 36通り　F 48通り

（２） 男子が２人、女子が２人の同数になる選び方は何通りあるか。

A 66通り　B 78通り　C 100通り　D 124通り
E 156通り　F 180通り

**2** 男子２人、女子３人の５人グループが合唱コンクールで横１列に並ぶことになった。

（１） ５人が横１列に並ぶとき、並び方は何通りあるか。

A 120通り　B 180通り　C 260通り　D 360通り
E 480通り　F 520通り

（２） ５人が横１列に並ぶとき、男子が両端になる並び方は何通りあるか。

A ６通り　B ８通り　C 12通り　D 24通り
E 36通り　F 48通り

# 解答

## 1 正解　（1）B　（2）C

（1）　委員長と副委員長を選ぶ場合は、たとえば、Aが委員長、Bが副委員長の場合と、Aが副委員長、Bが委員長の場合では異なる選び方となる。このような場合は順列の式を使う。

| 委員長 | 副委員長 |
|---|---|
| A | B |
| B | A |

$_4P_2 = 4 \times 3 = 12$［通り］

（2）　委員には区別がないので、組合せの式を使う。

男子5人から2人が選ばれる組合せは$_5C_2$

女子5人から2人が選ばれる組合せは$_5C_2$

この2つが連続する場合、2つの組合せの数をかけて求める。

$_5C_2 \times {_5C_2} = 10 \times 10 = 100$［通り］

## 2 正解　（1）A　（2）C

（1）　並ぶ順番があり、順列の式で計算する。5か所に5人が立つ並び方を考える。

$_5P_5 = 5 \times 4 \times 3 \times 2 \times 1 = 120$［通り］

（2）　男子が両端になる並び方は、次のようになる。

| 男 | 女 | 女 | 女 | 男 |
|---|---|---|---|---|

女子の位置は、3か所に3人の並び方を考える。

$_3P_3 = 3 \times 2 \times 1 = 6$［通り］

男子の位置は、2か所に2人の並び方を考える。

$_2P_2 = 2 \times 1 = 2$［通り］

求める並び方は、これをかけて求める。

$6 \times 2 = 12$［通り］

## 問題

**3** 白球5個、赤球3個の計8個の入った袋がある。球を戻さずに1個ずつ3個を取り出すとき、次の確率を求めなさい。

（1） 3個とも赤球である確率。

A $\frac{1}{112}$　B $\frac{1}{80}$　C $\frac{1}{56}$　D $\frac{1}{30}$

E $\frac{1}{25}$　F $\frac{1}{12}$

（2） 少なくとも1個が赤球である確率。

A $\frac{7}{28}$　B $\frac{9}{28}$　C $\frac{1}{7}$　D $\frac{3}{7}$

E $\frac{23}{28}$　F $\frac{13}{14}$

**4** 次の確率を求めなさい。

（1） 1個のサイコロを2回振って、2回とも偶数が出る。

A $\frac{1}{12}$　B $\frac{1}{6}$　C $\frac{1}{4}$　D $\frac{1}{2}$

E $\frac{3}{8}$　F $\frac{3}{4}$

（2） 1個のサイコロを2回振って、少なくとも1回は6が出る。

A $\frac{1}{36}$　B $\frac{1}{24}$　C $\frac{1}{12}$　D $\frac{11}{36}$

E $\frac{11}{24}$　F $\frac{11}{12}$

# 解答

**3 正解** (1)**C** (2)**E**

(1) 8個のうち、赤球が3個なので、1個目に赤球を取り出す確率は、$\frac{3}{8}$。球は戻さないから、2個目に赤球を取り出す確率は、$\frac{2}{7}$。同じく3個目に赤球を取り出す確率は、$\frac{1}{6}$。

したがって、3回連続して赤球を出す確率は、

$$\frac{3}{8}\times\frac{2}{7}\times\frac{1}{6}=\frac{1}{56}$$

(2) Aが少なくとも1回起こる確率＝1－Aが1回も起こらない確率である(余事象の公式)。

「少なくとも1個が赤球」ではない場合は、「3個とも白球」という場合となる。3個とも白球が出る確率は、(1)と同様に、1個目に白球を取り出す確率$\frac{5}{8}$、2個目に白球を取り出す確率$\frac{4}{7}$、3個目に白球を取り出す確率$\frac{3}{6}$をかけて求める。

$$\frac{5}{8}\times\frac{4}{7}\times\frac{3}{6}=\frac{5}{28}、\ 1-\frac{5}{28}=\frac{23}{28}$$

**4 正解** (1)**C** (2)**D**

(1) サイコロの目のうち偶数は2、4、6の3通り。

1回目に偶数が出る確率は$\frac{3}{6}$、2回目も同様に$\frac{3}{6}$、その連続となるから、$\frac{3}{6}\times\frac{3}{6}=\frac{1}{4}$

(2) 余事象の公式を使う。

「少なくとも1回は6が出る」ではない場合とは、1回も6が出ない、すなわち2回とも1から5のどれかが出るという場合である。

$$1-\left(\frac{5}{6}\times\frac{5}{6}\right)=\frac{11}{36}$$

# 11 表とグラフ

SPI-N SPI-H

## どんな検査？

表の問題は、「表読み」としてSPI-Nの**事務処理検査**のひとつとなっています。表から数字を読み取るもので、計算は不要です。正確な読み取りができるかどうかが問われます。40問が出題され、制限時間は５分です。出題される表は、発着地とそれぞれの運賃・料金が記載された**運賃表**で、地点間の運賃、ある地点から一定運賃で行ける地点などの問いに答えます。

また、表の問題はSPI-Hの**非言語能力検査**でも出題されます。こちらは資料の読み取りという形で、表から必要なデータを読み取るものです。単に表内の数値を答えるというものではなく、表を利用して求める数値を計算する作業などが必要になります。そのためには、表の内容をしっかりと把握しなければなりません。

グラフの問題は、SPI-Hの**非言語能力検査**に含まれます。１次関数や２次関数のグラフから、領域を問う問題です。

## 例題

次の表は、各駅間の普通運賃と特急料金を含んだ大人の運賃の運賃表です。上段が普通運賃、下段が特急料金を含んだ運賃です。

上段：普通運賃
下段：普通運賃＋特急料金

| 駅　名 | 東　京 | | | |
|---|---|---|---|---|
| 名古屋 | 5,800円<br>7,300円 | 名古屋 | | |
| 京　都 | 6,200円<br>8,700円 | 2,300円<br>4,600円 | 京　都 | |
| 新大阪 | 7,500円<br>9,700円 | 3,200円<br>5,400円 | 520円<br>2,100円 | 新大阪 |

**1** 名古屋から新大阪までの普通運賃はいくらか。（選択肢　略）

**2** 京都から特急料金を含んだ運賃が、2,100円かかる駅はどこか。（選択肢　略）

表は各携帯電話会社の年齢層別利用者の集計データである。

| 年齢層／会社 | 10〜19歳 | 20〜29歳 | 30〜39歳 | 40〜49歳 | 50歳以上 | 総利用者数 |
|---|---|---|---|---|---|---|
| X社 | 8％ | — | 15％ | — | 17％ | 160（万人） |
| Y社 | 12％ | 28％ | — | 10％ | — | 250（万人） |

**1** X社における20歳代の利用者は40歳代の利用者の1.5倍である。X社における40歳代の利用者の数は何人か。
（選択肢　略）

**2** Y社における30歳代の利用者の数は75万人である。Y社における50歳以上の利用率はいくらか。
（選択肢　略）

## 対策は？

### 表

**■ポイント①　運賃表の見方をマスターする**

SPI-Nの「表読み」対策は、運賃表の見方をマスターすることにつきます。例題の表を使って、確認しましょう。ある地点からある地点への運賃を知りたい場合は、２つの地点が交差した場所を見ます。ある地点から一定運賃で行ける地点を探す場合は、その地点の縦方向と横方向、両方の列をチェックする必要があります。

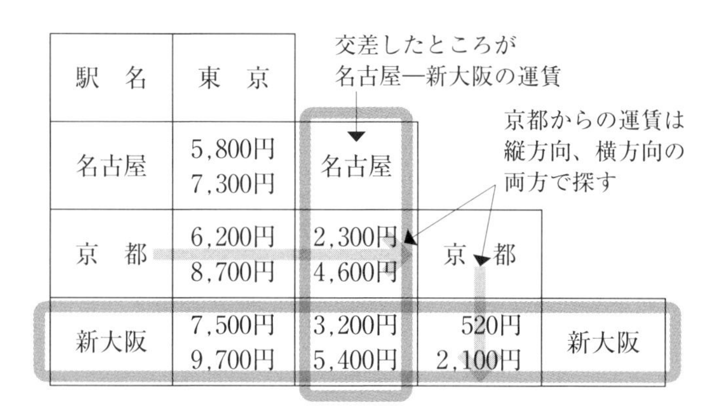

| 駅　名 | 東　京 | | | |
|---|---|---|---|---|
| 名古屋 | 5,800円<br>7,300円 | 名古屋 | | |
| 京　都 | 6,200円<br>8,700円 | 2,300円<br>4,600円 | 京　都 | |
| 新大阪 | 7,500円<br>9,700円 | 3,200円<br>5,400円 | 520円<br>2,100円 | 新大阪 |

交差したところが
名古屋ー新大阪の運賃
京都からの運賃は
縦方向、横方向の
両方で探す

**■ポイント②　表の内容をすみやかに把握**

SPI-Hの表の問題では、表をどこまで正確に把握できるかがポイントになります。例題の表では、次のような点を確認します。

どの年齢か？

| 年齢層＼会社 | 10～19歳 | 20～29歳 | 30～39歳 | 40～49歳 | 50歳以上 | 総利用者数 |
|---|---|---|---|---|---|---|
| X社 | 8％ | ― | 15％ | ― | 17％ | 160(万人) |
| Y社 | 12％ | 28％ | ― | 10％ | ― | 250(万人) |

どの会社か？　％で明示　数値で明示

表に含まれる内容と、それぞれの数値が何を表しているのかをおさえます。数値の単位も要チェックです。

### ■ポイント③　計算結果は必ず記入

空欄のある表では、設問に答えるために、表の空欄を埋めなければなりません。また、人口と面積が表で与えられており、人口密度を求めるというような、表から自分で数値を導く問題もあります。空欄を埋める場合でも、数値を算出する場合でも、計算した結果は必ず表に書き込んでおきます。同じ表に対していくつかの問題が出される場合、前の問題の計算結果を利用することが多いからです。

### ■ポイント④　選択肢の単位に注意

できるだけ短時間で解答するためには、求められているのが%などの割合なのか、実数なのか、あらかじめ選択肢を確認しておきます。よけいな計算をしたり、あとから再計算したりするのは、時間のむだです。

## グラフ

### ■ポイント①　不等号の向きとグラフの領域を覚える

グラフの領域問題は、

①連立方程式(＝の等号で示される式)のグラフで線や曲線を確定

②連立不等式(<などの不等号で示される式)による領域を確認

という手順で解きます。不等号の向きとグラフの領域は次のように整理し、覚えます。

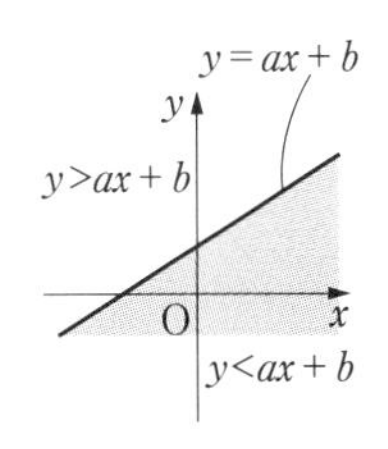


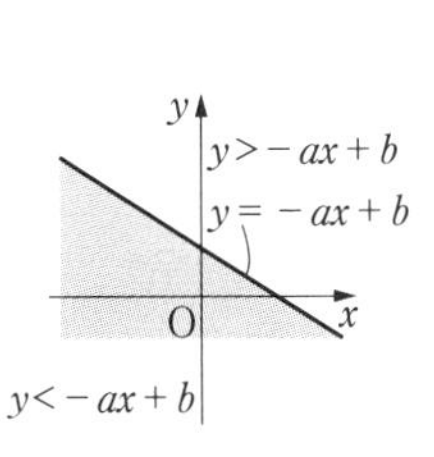


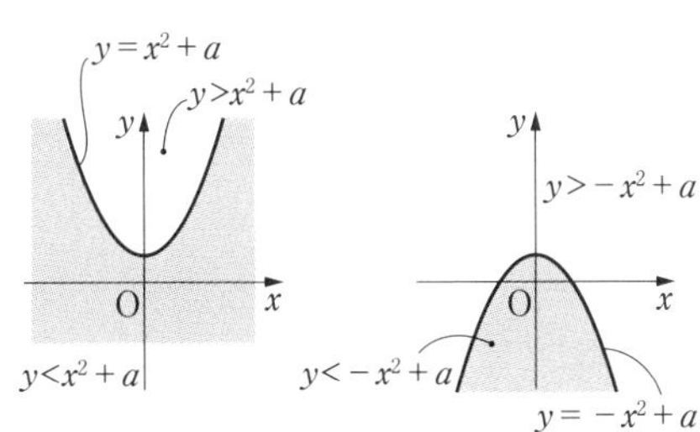

## 問題

**1** 次の表は各駅間の普通運賃と特急料金を含んだ大人の運賃の運賃表です。上段が普通運賃、下段が特急料金を含んだ運賃です。

| 駅名 | 東京 | | | | | |
|---|---|---|---|---|---|---|
| 名古屋 | 5,800円<br>7,300円 | 名古屋 | | | | |
| 京都 | 6,200円<br>8,700円 | 2,300円<br>4,600円 | 京都 | | | |
| 新大阪 | 7,500円<br>9,700円 | 3,200円<br>5,400円 | 520円<br>2,100円 | 新大阪 | | |
| 広島 | 9,600円<br>13,500円 | 7,000円<br>9,800円 | 5,700円<br>7,700円 | 5,200円<br>6,900円 | 広島 | |
| 博多 | 11,400円<br>15,600円 | 8,200円<br>12,300円 | 7,900円<br>11,000円 | 7,000円<br>9,900円 | 4,800円<br>7,400円 | 博多 |

| 上段 | 普通運賃 |
|---|---|
| 下段 | 普通運賃＋特急料金 |

※実際の運賃・料金とは異なる

（1） 名古屋から博多までの普通運賃はいくらか。

A 2,300円　B 3,200円　C 7,000円　D 8,200円
E 12,300円

（2） 新大阪から普通運賃が5,200円かかる駅はどこか。

A 東京　B 名古屋　C 京都　D 広島　E 博多

（3） 広島から特急料金を含んだ運賃が9,800円かかる駅はどこか。

A 東京　B 名古屋　C 京都　D 新大阪　E 博多

（4） 京都から普通運賃が6,200円かかる駅はどこか。

A 東京　B 名古屋　C 新大阪　D 広島　E 博多

（5） 博多から名古屋まで特急料金を含んだ運賃はいくらか。

A 6,900円　B 7,000円　C 7,900円　D 8,200円
E 12,300円

# 解答

**1 正解**　(1)**D**　(2)**D**　(3)**B**　(4)**A**　(5)**E**

表からすばやく正確に数値を読み取ることにつきる。運賃表は、発着駅が縦横両方に記載されており、発着駅によって使い分ける。

(1)　名古屋の縦列から、横列の博多の運賃を探す。普通運賃なので、上段の金額となる。

(2)　上段の金額。新大阪の縦列に、該当する5,200円が見つかる。

(3)　特急料金を含んだ運賃なので下段の金額となる。広島の横列に、該当する9,800円が見つかる。

(4)　上段の金額。京都の横列に、該当する6,200円が見つかる。

(5)　博多の横列から、縦列の名古屋の運賃を探す。下段の金額。

| 駅名 | 東京 | (1)(5) | | | | |
|---|---|---|---|---|---|---|
| 名古屋 | 5,800円<br>7,300円 | 名古屋 | (4) | | | |
| 京都 | 6,200円<br>8,700円 | 2,300円<br>4,600円 | 京都 | (2) | | |
| 新大阪 | 7,500円<br>9,700円 | 3,200円<br>5,400円 | 520円<br>2,100円 | 新大阪 | | |
| 広島 | 9,600円<br>13,500円 | 7,000円<br>9,800円 | 5,700円<br>7,700円 | 5,200円<br>6,900円 | 広島 | (3) |
| 博多 | 11,400円<br>15,600円 | 8,200円<br>12,300円 | 7,900円<br>11,000円 | 7,000円<br>9,900円 | 4,800円<br>7,400円 | 博多 |

## 問題

**2** 次の表は各駅間の普通運賃と特急料金を含んだ大人の運賃の運賃表です。上段が普通運賃、下段が特急料金を含んだ運賃です。

上段 普通運賃
下段 普通運賃＋特急料金

※実際の運賃・料金とは異なる

| 駅名 | 東京 | | | | | |
|---|---|---|---|---|---|---|
| 名古屋 | 5,800円<br>7,300円 | 名古屋 | | | | |
| 京都 | 6,200円<br>8,700円 | 2,300円<br>4,600円 | 京都 | | | |
| 新大阪 | 7,500円<br>9,700円 | 3,200円<br>5,400円 | 520円<br>2,100円 | 新大阪 | | |
| 広島 | 9,600円<br>13,500円 | 7,000円<br>9,800円 | 5,700円<br>7,700円 | 5,200円<br>6,900円 | 広島 | |
| 博多 | 11,400円<br>15,600円 | 8,200円<br>12,300円 | 7,900円<br>11,000円 | 7,000円<br>9,900円 | 4,800円<br>7,400円 | 博多 |

（1） 京都から普通運賃が5,700円かかる駅はどこか。

A 東京　B 名古屋　C 新大阪　D 広島　E 博多

（2） 広島から名古屋までの特急料金を含んだ運賃はいくらか。

A 6,900円　B 7,000円　C 7,700円　D 9,800円
E 13,500円

（3） 新大阪から特急料金を含んだ運賃が9,900円かかる駅はどこか。

A 東京　B 名古屋　C 京都　D 広島　E 博多

（4） 京都から広島まで特急料金を含んだ運賃はいくらか。

A 5,700円　B 7,000円　C 7,700円　D 7,900円
E 11,000円

（5） 広島から名古屋までの普通運賃はいくらか。

A 7,000円　B 7,400円　C 9,600円　D 9,800円
E 13,500円

# 解答

**2 正解**　(1)**D**　(2)**D**　(3)**E**　(4)**C**　(5)**A**

(1)　上段の金額。京都の縦列に、該当する5,700円が見つかる。

(2)　広島の横列から、縦列の名古屋の運賃を探す。下段の金額。

(3)　下段の金額。新大阪の縦列に、該当する9,900円が見つかる。

(4)　京都の縦列から、横列の広島の運賃を探す。下段の金額。

(5)　広島の横列から、縦列の名古屋の運賃を探す。上段の金額。

| 駅名 | 東京 | (2)(5) | (1)(4) | (3) | | |
|---|---|---|---|---|---|---|
| 名古屋 | 5,800円<br>7,300円 | 名古屋 | | | | |
| 京都 | 6,200円<br>8,700円 | 2,300円<br>4,600円 | 京都 | | | |
| 新大阪 | 7,500円<br>9,700円 | 3,200円<br>5,400円 | 520円<br>2,100円 | 新大阪 | | |
| 広島 | 9,600円<br>13,500円 | 7,000円<br>9,800円 | 5,700円<br>7,700円 | 5,200円<br>6,900円 | 広島 | |
| 博多 | 11,400円<br>15,600円 | 8,200円<br>12,300円 | 7,900円<br>11,000円 | 7,000円<br>9,900円 | 4,800円<br>7,400円 | 博多 |

## 問題

**3** 次の表は、ある高校の生徒が、あるテーマパークで好きなアトラクションを1つ答えた結果を集計したものである。この高校の男子と女子の生徒数の比が4：6であるとき、次の各問いに答えなさい。

| アトラクション | 男子 | 女子 | 男女合計 |
|---|---|---|---|
| 観覧車 | | 25% | 21% |
| バイキング | 25% | 10% | |
| ジェットコースター | 40% | | |
| スウィンガー | 20% | 15% | 17% |
| 計 | 100% | 100% | 100% |

（1） 男子で観覧車と回答した生徒は、回答した生徒全体の何%にあたるか。

A　2.5%　　B　3%　　C　5%　　D　6%

E　12.5%　　F　15%

（2） ジェットコースターと回答した生徒は、回答した生徒全体の何%にあたるか。

A　26%　　B　38%　　C　46%　　D　52%

E　56%　　F　60%

（3） 回答した男子の数は120人だった。スウィンガーと回答した生徒数は何人か。

A　36人　　B　42人　　C　48人　　D　51人

E　64人　　F　75人

## 解答

**3** **正解**　（1）**D**　（2）**C**　（3）**D**

（1）　まず、男子で観覧車と回答した生徒の割合を求めると、

$100-25-40-20=15$［%］

これは男子のうちでの割合となるから、これが回答した生徒全体のどれくらいになるかを考える。

回答した全生徒数を仮に100人として考えると、男子と女子の生徒数の比4：6から、男子40人、女子60人となる。観覧車と回答した男子は、

$40\times0.15=6$［人］

全体に対する割合は、

$6\div100=0.06$［%］　→6％

（2）　女子でジェットコースターと回答した生徒の割合は、

$100-25-10-15=50$［%］

（1）と同様に生徒全体を100人として考えると、ジェットコースターと回答した生徒は、

男子　$40\times0.4=16$［人］

女子　$60\times0.5=30$［人］　　合計46人

生徒全体に対する割合は、

$46\div100=0.46$［%］　→46％

（3）　生徒数の男女比が4：6であるから、回答した男子の数が120人のとき、女子の数は、$120\times\frac{6}{4}=180$［人］

したがって男女合計は、$120+180=300$［人］

スウィンガーと回答した男女合計の割合は表より17％である。

したがって人数は、$300\times0.17=51$［人］

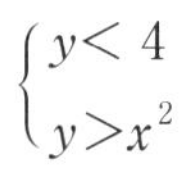

# 問題

**4** 次の連立不等式が表す領域はどれか。

$$\begin{cases} y < 4 \\ y > x^2 \end{cases}$$

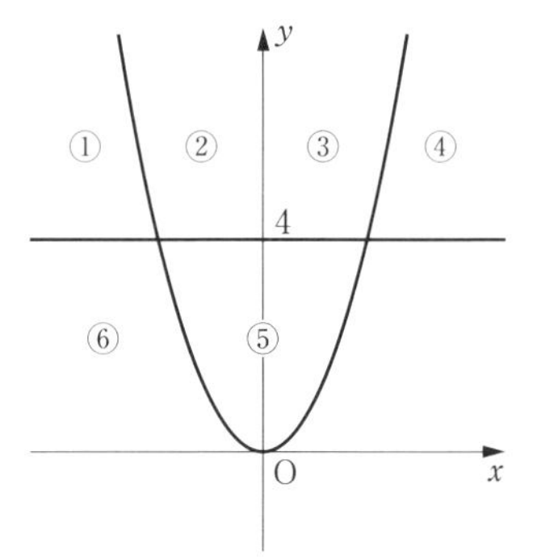

A　①と④

B　②と③

C　⑥のみ

D　①と②と③と④

E　②と③と⑤

F　⑤のみ

**5** 右の図は、次の2つの直線で分割される4つの領域を表したものである。

$$\begin{cases} y = x \\ y = -2x + 3 \end{cases}$$

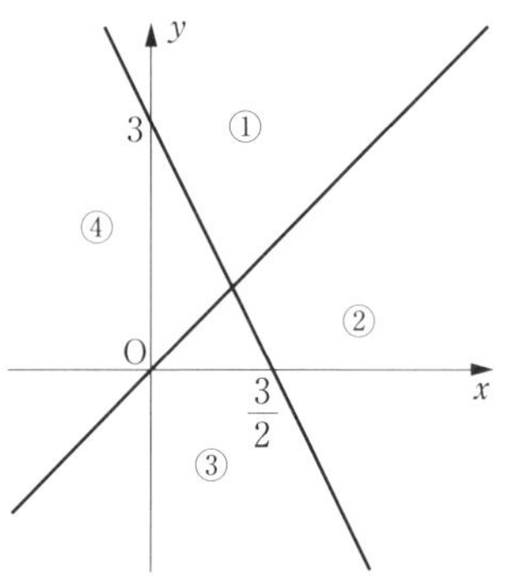


次の連立不等式が表す領域はどれか。

$$\begin{cases} y > x \\ y < -2x + 3 \end{cases}$$

A　①　　B　②

C　③　　D　④

E　①と②　　F　②と③

# 解答

## 4 正解　F

図 1

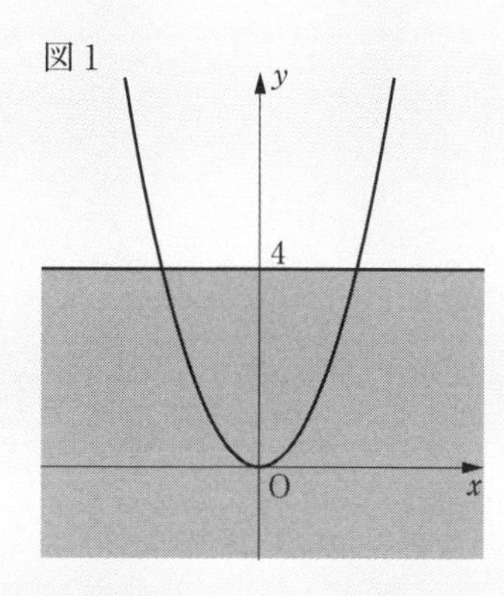


図 2

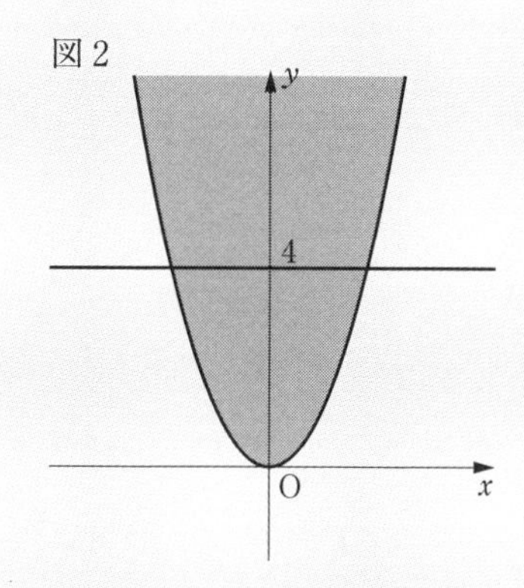


$y < 4$ は図 1 の、$y > x^2$ は図 2 の、それぞれ灰色の部分を表す。
求める領域は、各不等式が表す領域の共通部分である⑤。

## 5 正解　D

図 1

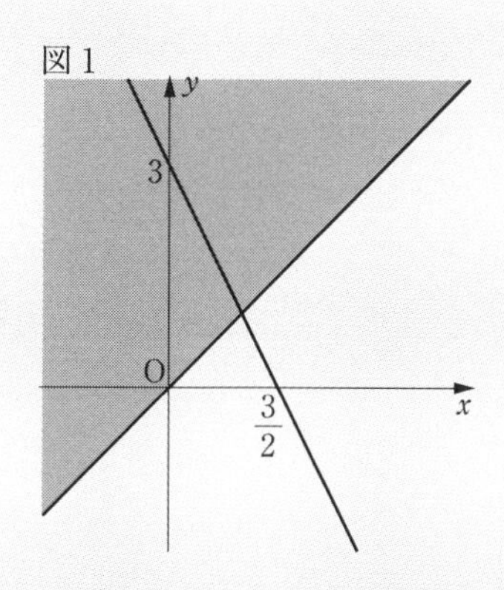


図 2

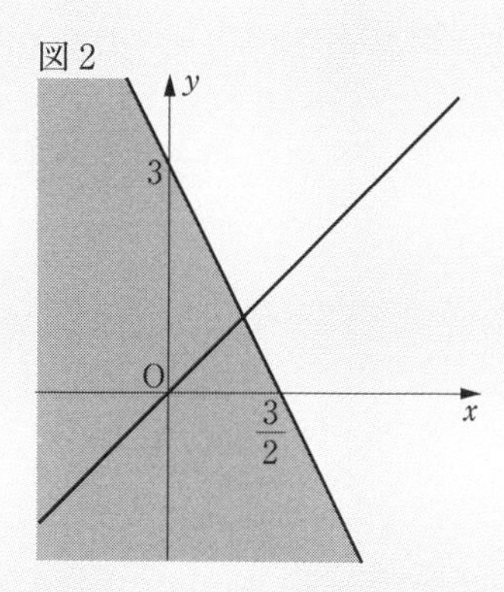


$y > x$ が示す領域は、直線 $y = x$ よりも上の部分で、図 1 の灰色の部分。
また、$y < -2x + 3$ が示す領域は、直線 $y = -2x + 3$ よりも下の部分で、図 2 の灰色の部分。
求める領域は、この 2 つの共通部分である④。

# 12 推論

SPI-H

## どんな検査？

推理問題ともいいます。SPI-Hの**非言語能力検査**に含まれます。与えられたさまざまな条件から、論理的に推理して答えを導きます。位置の問題、順序の問題、勝ち負けの問題、論理の問題などがあります。

### 例題

**1** P、Q、R、S、Tが縦に整列し、その位置について次のことがわかっているとき、ア～エのうち、確実にいえるのはどれか。

・SはQより後ろにいる
・Sより前にTが、後ろにRがいる
・Tのすぐ後ろにPがいる

ア　Pは前から２番目である
イ　Qは前から３番目である
ウ　Sは前から４番目である
エ　Tは先頭にいる

A　アのみ　　B　イのみ　　C　ウのみ　　D　エのみ
E　アとイ　　F　イとウ

**解答**

**1** **正解　C**

条件から、Sより前にQ、T、Pが、後ろにRがいるとわかるので、ウは確実。他は条件からはわかりません。

## 対策は？

### ■ポイント① 表、図をつくって考える

推論では、頭だけで条件を整理しようとすると混乱するばかりです。位置を図で表す、対戦表を作成するなど、目に見える形で条件を整理します。例題の場合なら

| | | | |
|---|---|---|---|
| 前 | Q←S | 後 | （ＳはＱより後ろ） |
| | ＴＰ←Ｓ→Ｒ | | （Ｓより前にＴ、後ろにＲ、Ｔのすぐ後ろにＰ） |

と図示することで、Ｓの前にＱ、Ｔ、Ｐがいること、すなわちＳは前から４番目と特定できます。

なお、図示する場合には、矢印や不等号などの簡単な記号を利用して、わかりやすく、かつ短時間で整理できるようにするのがおすすめです。実際に問題を解いていくと、図示の要領もつかめます。

### ■ポイント② 何が問われているのかを把握する

推論の問題では、「正しい」「確実にいえる」「必ずしも誤りではない」など、さまざまな問われ方がされます。問われ方によって、正解が異なりますので、問題文をきちんと読み、意味を取り違えないようにします。

たとえば、可能性はあるがはっきりとはいえない、という内容の選択肢は、「確実にいえる」ものを選ぶ場合には×ですが、「必ずしも誤りではない」ものを選ぶ場合には○となります。

### ■ポイント③ 難題はとばすのもひとつの手

推論の問題は、論理的に考えていけば必ず正解にたどりつけるようにできていますが、実際の試験でどうしても解けない問題にぶつかったら、とばして次の問題に進みましょう。SPIの検査は時間勝負です。１問にじっくりと取り組む余裕はないと思ってください。

# 問題

**1** 次の図のようなａ～ｅの５つの区画があり、それぞれＯ、Ｐ、Ｑ、Ｒ、Ｓの５人が所有している。

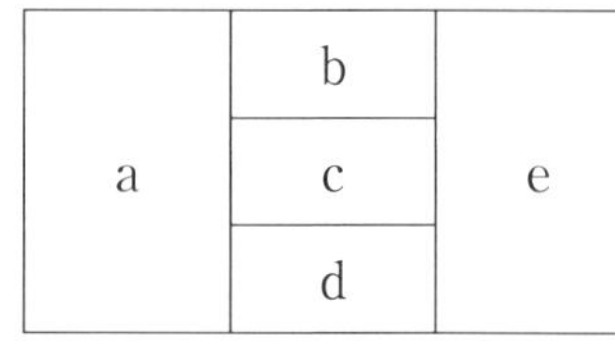

| a | b | e |
| --- | --- | --- |
| a | c | e |
| a | d | e |

次のことがわかっているとき、ア～ウのうち、必ず正しいのはどれか。

ⅰ　ＯとＰの区画は接していない
ⅱ　Ｓの区画はＯ、Ｐ、Ｒの３つに接している
ア　Ｓの区画はＱと接している
イ　Ｑの区画はＯと接している
ウ　Ｒの区画はＰと接している

A　アのみ　　B　イのみ　　C　ウのみ　　D　アとイ
E　イとウ　　F　アとウ　　G　アとイとウ

**2** 次の図のようなａ～ｅの５つの区画があり、それぞれＯ、Ｐ、Ｑ、Ｒ、Ｓの５人が所有している。

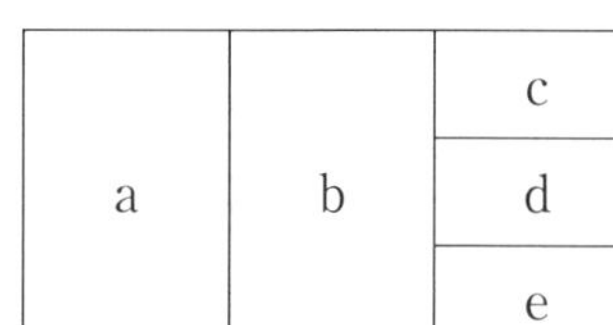

| a | b | c |
| --- | --- | --- |
| a | b | d |
| a | b | e |

次のことがわかっているとき、ａの区画は誰の所有か。

ⅰ　Ｒの区画はＰとは接しているがＯとは接していない
ⅱ　Ｓの区画はＲとＰの２つに接している区画である

A　Ｏ所有　　B　Ｐ所有　　C　Ｑ所有　　D　Ｒ所有
E　Ｓ所有　　F　ＯまたはＲ所有

# 解答

## 1 正解　E

| a | b | e |
| --- | --- | --- |
| | c（R） | |
| | d | |

ⅰより、O、Pの区画は接していないため、a、e、またはb、dのいずれかの組み合わせとなる。また、ⅱより、Sの区画は3か所に接しているため、cではない。

したがって、

①O、Pがa、eになると、Sはbかdとなり、a、c、eに接する。

②O、Pがb、dになると、Sはaかeとなり、b、c、dに接する。

SはO、P、Rの区画に接しているので、cはRと決まる。

アは、ⅱから、誤りである。イは、Qの区画はSの区画以外の3か所に接しているので正しい。ウは、Rの区画はcだから、すべての区画と接しているので正しい。

## 2 正解　A

| a 1か所 | b 4か所 | c 2か所 |
| --- | --- | --- |
| | | d 3か所 |
| | | e 2か所 |

まず、それぞれの区画の接している数を考える。

ⅰより、Rの区画はOと接していないので、4か所に接するbではない。

ⅱより、Sの区画は2か所に接しているので、cかe。これがRとPに接していることから、RとPの区画はb、dの組み合わせとなるが、Rの区画はbではないため、dと決まる。

したがって、Pがb。また、RとOは接していないため、aがO。

# 問題

**3** あるコンビニのレジの中には何枚かの硬貨が入っており、その内容について以下の報告があった。

ⅰ　1円と5円と500円があった

ⅱ　1円20枚、5円10枚と100円が30枚あった

ⅲ　少なくとも3種類の硬貨があった

次の推論ア～ウのうち、正しいのはどれか。

ア　ⅱが正しければ、ⅰも必ず正しい

イ　ⅰが正しければ、ⅲも必ず正しい

ウ　ⅲが正しければ、ⅱも必ず正しい

A　アだけ　　B　イだけ　　C　ウだけ　　D　アとイ

E　アとウ　　F　イとウ　　G　アとイとウ

**4** あるサッカーチームの外国出身者を調査したところ、その内容は以下のとおりだった。

ⅰ　フランス出身者1人とスペイン出身者2人がいた

ⅱ　少なくともヨーロッパの3か国の出身者がいた

ⅲ　ヨーロッパ出身選手が少なくとも3人以上いた

次の推論ア～ウのうち、正しいのはどれか。

ア　ⅲが正しければ、ⅰも必ず正しい

イ　ⅱが正しければ、ⅲも必ず正しい

ウ　ⅰが正しければ、ⅱも必ず正しい

A　アだけ　　B　イだけ　　C　ウだけ　　D　アとイ

E　アとウ　　F　イとウ　　G　アとイとウ

# 解答

## 3 正解　B

論理の問題で、ｉ、ⅱ、ⅲの内容は、それぞれ情報の精度に差がある。その情報を整理して解答する。

ｉ　１円、５円、500円がある→確実。枚数までは不明

ⅱ　１円20枚、５円10枚、100円30枚ある→確実。500円については不明

ⅲ　少なくとも３種類の硬貨がある→確実。種類・枚数は不明

それぞれ不明な部分を１つずつ検証する。

ア　ⅱは１円、５円、100円の枚数まで確実だが、500円については不明であり、ｉが必ず正しいとはいえない。

イ　ｉは１円、５円、500円があるのが確実で、ⅲの少なくとも３種類の硬貨があるのは正しい。

ウ　ⅲは少なくとも３種類の硬貨があることのみが確実で、種類、枚数については不明であり、ⅱが必ず正しいとはいえない。

## 4 正解　B

各情報を確認する。

ア　ⅲの「ヨーロッパ出身選手が少なくとも３人以上いた」が正しいとしても、それがｉ「フランス出身者１人」と「スペイン出身者２人」とは特定できない→必ず正しいとはいえない。

イ　ⅱの「少なくともヨーロッパの３か国の出身者がいた」が正しいなら、各国最低１人ずつでもⅲ「ヨーロッパ出身選手が少なくとも３人以上いた」ことになる→正しい。

ウ　ｉの「フランス出身者１人とスペイン出身者２人がいた」が正しいとしても、これが保証するのはヨーロッパの２か国の出身者がいたことなので、ⅱ「少なくともヨーロッパの３か国の出身者がいた」は確実でない→必ず正しいとはいえない。

## 問題

**5** P、Q、R、Sの4チームで総当たり戦によるサッカーの試合をした。その結果は、次のとおりであった。ここから確実にいえるのはどれか。

i　Pチームは S チームに負けた
ii　Qチームは R チームに勝った
iii　Qチームは2位であった
iv　Rチームは P チームに勝った
v　4チームの勝率は、すべて異なっていた
vi　引き分けはなかった

A　Pチームは3位であった
B　SチームはQチームに負けた
C　RチームはSチームに勝った
D　Sチームは2勝1敗であった
E　QチームはPチームに勝った

**6** P、Q、R、S、Tの5チームが、バレーボールのトーナメント戦を行った。次の説明とトーナメント表から判断して、正しいのはどれか。

i　RはPに負けた
ii　Pは2回戦でSに勝った
iii　Tは初戦で負けた
iv　QはPと対戦しなかった

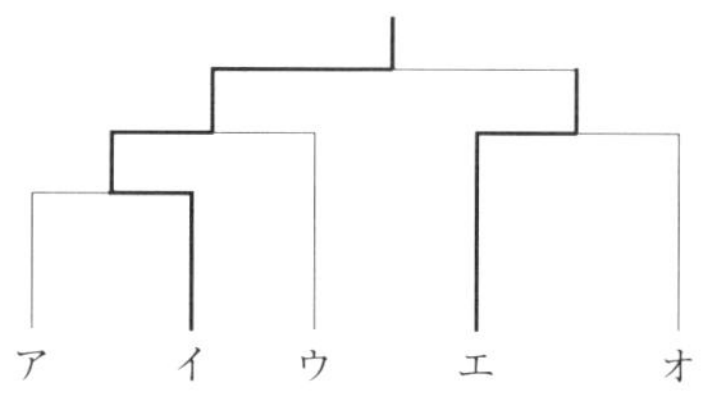


A　Pはエである
B　Qはアである
C　Rはエである
D　Sはオである
E　Tはオである

# 解答

## 5 正解　E

問題文より、対戦表を作成する。

| ＼ | P | Q | R | S |
|---|---|---|---|---|
| P | ＼ | | × | × |
| Q | | ＼ | ○ | |
| R | ○ | × | ＼ | |
| S | ○ | | | ＼ |

←PはSに負けた（SはPに勝った）
←Qは２位　QはRに勝った（RはQに負けた）
←RはPに勝った（PはRに負けた）

４チームの勝率がすべて異なっているのだから、１位は３勝０敗、２位は２勝１敗、３位は１勝２敗、４位は０勝３敗となる。１位は３勝０敗であり、×がないのはQとS。Qは２位とわかっているので、１位はS。したがって、B、C、Dは誤り。２位のQチームは、２勝１敗なので、Pチームに勝ったことがわかり，Eが確実にいえる。Pは全敗となり、Aは誤り。

| ＼ | P | Q | R | S |
|---|---|---|---|---|
| P | ＼ | × | × | × |
| Q | ○ | ＼ | ○ | × |
| R | ○ | × | ＼ | × |
| S | ○ | ○ | ○ | ＼ |

## 6 正解　C

iiより、Pは２回戦でSに勝っており、イかエが考えられる。しかしエは１回しか勝っておらず、iと矛盾するので、Pはイと決まる。したがってウはS。ivより、Qはオでなければならない。したがって、iiiよりTはア、よってRはエになる。

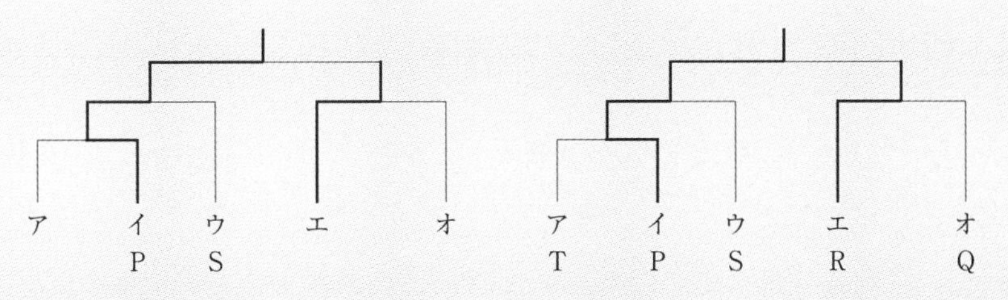

## 問題

**7** T、U、V、Wの4人の数学のテストの順番について、以下のことがわかっている。

i　UはVよりも1つ順番がよかった

ii　一番よかったのはTではない

次のア〜エのうち、必ずしも誤りとはいえないものはどれか。

ア　Vは4番目によかった

イ　Wは2番目によかった

ウ　Tは2番目によかった

エ　Uは1番目によかった

A　アとイ　　B　アとウ　　C　イとウ　　D　ウとエ

E　アとイとウ　　F　アとウとエ　　G　イとウとエ

**8** P、Q、R、S、T、U、Vの7人が横に1列に並び、カメラの方向を向いている。以下のi〜ivがわかっているとき、確実にいえるのはどれか。

i　Pの左2人目はQである

ii　Qの左2人目はRである

iii　Sの左3人目はTである

iv　UはSのすぐ隣である

カメラ

○ ○ ○ ○ ○ ○ ○

A　VはPの隣である

B　TはVの隣である

C　VはUの隣である

D　SはRの隣である

E　QはSの隣である

F　UはPの隣である

# 解答

## 7 正解　F

ｉより、ＵはＶより１つ順番がよく、この順序は確定しているので、ＵとＶをまとめて１つと考える。ⅱより、Ｔは１位ではない。これらから、考えられる順番としては、次の４パターンがある。

| | １位 | ２位 | ３位 | ４位 |
|---|---|---|---|---|
| パターン① | W | T | U | V |
| パターン② | W | U | V | T |
| パターン③ | U | V | W | T |
| パターン④ | U | V | T | W |

「必ずしも誤りとはいえない」とは、１つでも正しいケースがあればよいということである。

ア　パターン①でＶが４位であり、必ずしも誤りとはいえない。

イ　Ｗが２番目によいパターンはなく、明らかに誤り。

ウ　パターン①でＴが２位であり、必ずしも誤りとはいえない。

エ　パターン③、④でＵが１位であり、必ずしも誤りとはいえない。

## 8 正解　F

ｉⅱより、Ｐ、Ｑ、Ｒの並び方は、左からＲ○Ｑ○Ｐとなる。

ⅳより、ＵとＳは並んでいるので、Ｐの右側、あるいはＲの左側につくことになる。Ｓの左側３人目にＴがいることから、ＵとＳはＰの右に並んでいる。

ⅲより、並び方は、左からＲ、Ｖ、Ｑ、Ｔ、Ｐ、Ｕ、Ｓとなる。

## 適性検査以外の試験も要チェック

高校生を対象とした就職試験では、適性検査以外にも、筆記試験が実施される場合があります。P8でもふれたように、学校で学ぶ5教科の基礎的な問題だけでなく、企業によっては、時事問題や作文が出題されることもあります。

もちろん、筆記試験と並んで就職試験の両輪といえる、面接試験の存在も忘れてはいけません。厚生労働省がかつて実施した調査によれば、企業が高校卒業者に求める能力として第1位にあげられたのがコミュニケーション能力です。それが見られる面接試験には、万全の準備で臨みたいものです。

面接試験は、個人面接・集団面接・集団討論といった形式に分類され、形式ごとに試験時間や面接官のねらいが異なってきます。また、面接で出される質問も多岐にわたります。受験者のプロフィール、志望理由、学校生活、交友関係、さらには一般常識や時事に関する質問も、含まれることがあります。

これらの対策も、1日や2日でできるものではありません。適性検査やそのほかの筆記試験とあわせて、友達や先生、家族に協力してもらいながら、しっかりと練習をしておくようにしましょう。

# 模擬試験

# SPI-N
# SPI-H

・P169～175の解答用紙をコピーしてお使いください。

・答え合わせに便利な解答一覧と、解答・解説は別冊をご覧ください。

## SPI-N　検査Ⅰ

【制限時間５分】　解答と解説 → 別冊P３～５

左右の系列が同じ場合は同、異なる場合は異を塗りつぶしてください。

| | | | |
|---|---|---|---|
| (1) | カナスルキ | カナルスキ | 同・異 |
| (2) | ハイフデナ | ハイフデナ | 同・異 |
| (3) | ０７３２５ | ０７３２５ | 同・異 |
| (4) | １８２５９ | １８５２９ | 同・異 |
| (5) | ＲＳＢＱＬ | ＲＳＢＱＬ | 同・異 |
| (6) | ｓｔｊｗｅ | ｓｊｗｔｅ | 同・異 |
| (7) | 新高歴字酸 | 新高歴字酸 | 同・異 |
| (8) | 出両健略目 | 出両健略目 | 同・異 |
| (9) | いそびこう | いとびこう | 同・異 |
| (10) | かむらわる | かわるらく | 同・異 |
| (11) | ヤマラワム | ヤマワラム | 同・異 |
| (12) | ツユソガン | ツユガソン | 同・異 |
| (13) | ３８７２５ | ３７８５２ | 同・異 |
| (14) | ６５３６０ | ６５３６０ | 同・異 |
| (15) | ＤＢＨＣＫ | ＤＢＨＣＫ | 同・異 |
| (16) | ｓｖｆｋｔ | ｓｗｆｋｔ | 同・異 |
| (17) | アルトネメ | アルトネメ | 同・異 |
| (18) | デコルガイ | デルコガイ | 同・異 |
| (19) | ３８５０８ | ３８０８５ | 同・異 |
| (20) | ２６５７５ | ２６５７７ | 同・異 |
| (21) | 愛電国城在 | 愛電国在城 | 同・異 |
| (22) | 新残胸王興 | 新興残興王 | 同・異 |
| (23) | ミチハナシ | ミチハシナ | 同・異 |
| (24) | オジロドリ | オジソロイ | 同・異 |
| (25) | →↑←↓→ | →↑←↓→ | 同・異 |
| (26) | ←↓↑←↓ | →↓↑←↓ | 同・異 |
| (27) | コダエベサ | コエダベサ | 同・異 |
| (28) | ロデリロル | ロデルロル | 同・異 |
| (29) | ５８３５４ | ５８４５４ | 同・異 |
| (30) | ９２８６８ | ９２６８８ | 同・異 |

| | | | |
|---|---|---|---|
| (31) | P S B O L | R S B O L | 同・異 |
| (32) | j w s t e | j w t s e | 同・異 |
| (33) | 彩新低高団 | 彩新高低団 | 同・異 |
| (34) | 編料仁料期 | 編料仁科期 | 同・異 |
| (35) | びいくふえ | びいくふえ | 同・異 |
| (36) | うになげや | ういなげや | 同・異 |
| (37) | サワワシル | サワサシル | 同・異 |
| (38) | ガンテムソ | ガンテムソ | 同・異 |
| (39) | 2 7 9 7 2 | 2 9 7 7 2 | 同・異 |
| (40) | 5 3 1 9 8 | 5 2 8 1 9 | 同・異 |
| (41) | A D B C K | A D B C H | 同・異 |
| (42) | m s d v k | m s d v k | 同・異 |
| (43) | シイナツケ | シイカツケ | 同・異 |
| (44) | エピデルコ | エピデルコ | 同・異 |
| (45) | 9 1 5 3 7 | 9 1 3 7 5 | 同・異 |
| (46) | 3 6 5 7 5 | 3 6 5 7 5 | 同・異 |
| (47) | 宿細紳部言 | 宿細紳部言 | 同・異 |
| (48) | 澄水信徹非 | 澄水信徹非 | 同・異 |
| (49) | クサミチハ | クシミチハ | 同・異 |
| (50) | オサツルガ | オサツガル | 同・異 |
| (51) | EヨШᗰE | EヨШᗰE | 同・異 |
| (52) | EヨШᗰヨ | ヨEШᗰE | 同・異 |
| (53) | やまとなび | やもとなび | 同・異 |
| (54) | ゆきつじな | ゆまつじな | 同・異 |
| (55) | せんどうに | せんどうに | 同・異 |
| (56) | シツツユガ | シツツユガ | 同・異 |
| (57) | 8 7 2 5 2 | 8 7 5 2 5 | 同・異 |
| (58) | 1 6 0 3 5 | 1 6 0 3 5 | 同・異 |
| (59) | L T D H B | L T F H B | 同・異 |
| (60) | k t v z u | k t u z u | 同・異 |

(61) ミトドリア ミトデリア 同・異
(62) ガルアメア ガルアメア 同・異
(63) 2 1 6 4 9 2 1 4 6 9 同・異
(64) 5 1 3 5 8 5 1 3 5 3 同・異
(65) 講学言料科 講学言科料 同・異
(66) 電存旧作務 電在旧作務 同・異
(67) アンウメシ アンウメツ 同・異
(68) ムントドル ムンドトル 同・異
(69) 同・異
(70) 同・異

(71) メユハアイ メユハアイ 同・異
(72) カイセチイ カイセイチ 同・異
(73) 0 1 0 1 0 0 1 0 0 1 同・異
(74) 3 3 9 6 9 3 3 6 9 6 同・異
(75) U F B E L U F B F L 同・異
(76) t s l t s t s l s t 同・異
(77) 朝今神士名 朝今神志名 同・異
(78) 倉百共健画 倉百共建画 同・異
(79) らおもいか らおもいか 同・異
(80) たあきさか たあさきか 同・異

(81) ベイナンア ベイナンア 同・異
(82) ルベンフハ ルベンヲハ 同・異
(83) 2 0 3 1 9 2 0 8 1 9 同・異
(84) 2 0 1 2 6 2 0 1 2 6 同・異
(85) A K B C K A K B C H 同・異
(86) m d n a s m d n a s 同・異
(87) ヒラナリシ ヒナラリシ 同・異
(88) デルナパソ デルパソナ 同・異
(89) 9 8 7 8 9 9 7 8 7 9 同・異
(90) 5 1 5 2 6 5 2 5 1 5 同・異

| | | | |
|---|---|---|---|
| (91) | 雀楽聞一風 | 雀楽聞一嵐 | 同 ・ 異 |
| (92) | 尊明直快水 | 尊明直快水 | 同 ・ 異 |
| (93) | テンミチノ | テンミチメ | 同 ・ 異 |
| (94) | トコリノコ | トコリノコ | 同 ・ 異 |
| (95) | ↑←↓→→ | ↑←↓→← | 同 ・ 異 |
| (96) | ←↓↑→↓ | ←↓↑→↓ | 同 ・ 異 |
| (97) | ひめあさう | ひぬあさう | 同 ・ 異 |
| (98) | まゆるつな | まゆつるな | 同 ・ 異 |
| (99) | MSSOG | MSSOC | 同 ・ 異 |
| (100) | CFHQR | CFHQR | 同 ・ 異 |

## SPI-N　検査Ⅱ

【制限時間５分】 解答と解説 → 別冊P６～７

次の表は、各駅間の普通運賃および特急料金を含んだ運賃の運賃表です。上段が普通運賃、下段が特急料金を含んだ運賃です。

| 駅　名 | 東　京 | | | | | |
|---|---|---|---|---|---|---|
| 大　宮 | 610円<br>3,300円 | 大　宮 | | | | |
| 長　野 | 4,300円<br>8,800円 | 3,600円<br>7,000円 | 長　野 | | | |
| 富　山 | 6,900円<br>13,600円 | 6,700円<br>13,200円 | 3,200円<br>7,600円 | 富　山 | | |
| 金　沢 | 7,900円<br>15,000円 | 7,500円<br>14,500円 | 4,300円<br>9,600円 | 1,040円<br>3,500円 | 金　沢 | |
| 敦　賀 | 10,000円<br>17,200円 | 9,400円<br>16,700円 | 6,400円<br>11,900円 | 3,400円<br>6,800円 | 2,400円<br>5,800円 | 敦　賀 |

【上段】 普通運賃
【下段】 普通運賃＋特急料金

※実際の運賃・料金とは異なる

（１） 長野から敦賀までの普通運賃は

A　4,300円　B　6,400円　C　9,600円　D　10,000円
E　11,900円

（２） 敦賀から普通運賃が9,400円かかる駅は

A　東京　B　大宮　C　長野　D　富山　E　金沢

（３） 金沢から特急料金を含んだ運賃が9,600円かかる駅は

A　東京　B　大宮　C　長野　D　富山　E　敦賀

（４） 富山から普通運賃が6,900円かかる駅は

A　東京　B　大宮　C　長野　D　金沢　E　敦賀

(5) 東京から特急料金を含んだ運賃が15,000円かかる駅は

A 大宮　B 長野　C 富山　D 金沢　E 敦賀

(6) 大宮から長野までの普通運賃は

A 3,600円　B 6,700円　C 7,500円　D 9,400円
E 13,200円

(7) 金沢から特急料金を含んだ運賃が5,800円かかる駅は

A 東京　B 大宮　C 長野　D 富山　E 敦賀

(8) 敦賀から東京までの特急料金を含んだ運賃は

A 3,300円　B 10,000円　C 13,600円　D 16,700円
E 17,200円

(9) 東京からの普通運賃が7,900円かかる駅は

A 大宮　B 長野　C 富山　D 金沢　E 敦賀

(10) 長野から金沢までの普通運賃は

A 1,040円　B 4,300円　C 7,600円　D 9,600円
E 14,500円

(11) 富山から特急料金を含んだ運賃が13,200円かかる駅は

A 東京　B 大宮　C 長野　D 金沢　E 敦賀

(12) 長野から特急料金を含んだ運賃が7,000円かかる駅は

A 東京　B 大宮　C 富山　D 金沢　E 敦賀

(13) 金沢から大宮までの普通運賃は

A 7,000円　B 7,500円　C 7,900円　D 14,500円
E 15,000円

(14) 金沢から普通運賃が7,900円かかる駅は

A 東京　B 大宮　C 長野　D 富山　E 敦賀

次の表は、各駅間の普通運賃および特急料金を含んだ運賃の運賃表です。上段が普通運賃、下段が特急料金を含んだ運賃です。

【上段】 普通運賃
【下段】 普通運賃＋特急料金

※実際の運賃・料金とは異なる

| 駅　名 | 東　京 | | | | | |
|---|---|---|---|---|---|---|
| 大　宮 | 610円<br>3,300円 | 大　宮 | | | | |
| 長　野 | 4,300円<br>8,800円 | 3,600円<br>7,000円 | 長　野 | | | |
| 富　山 | 6,900円<br>13,600円 | 6,700円<br>13,200円 | 3,200円<br>7,600円 | 富　山 | | |
| 金　沢 | 7,900円<br>15,000円 | 7,500円<br>14,500円 | 4,300円<br>9,600円 | 1,040円<br>3,500円 | 金　沢 | |
| 敦　賀 | 10,000円<br>17,200円 | 9,400円<br>16,700円 | 6,400円<br>11,900円 | 3,400円<br>6,800円 | 2,400円<br>5,800円 | 敦　賀 |

(15)　敦賀から長野までの特急料金を含んだ運賃は

A　610円　B　3,500円　C　6,700円　D　11,900円
E　15,000円

(16)　大宮から普通運賃が9,400円かかる駅は

A　東京　B　長野　C　富山　D　金沢　E　敦賀

(17)　長野から特急料金を含んだ運賃が9,600円かかる駅は

A　東京　B　大宮　C　富山　D　金沢　E　敦賀

(18)　敦賀から普通運賃が10,000円かかる駅は

A　東京　B　大宮　C　長野　D　富山　E　金沢

(19)　長野から東京までの普通運賃は
A　3,200円　B　3,300円　C　3,600円　D　4,300円　E　8,800円

(20)　東京から特急料金を含んだ運賃が17,200円かかる駅は
A　大宮　B　長野　C　富山　D　金沢　E　敦賀

(21)　大宮から普通運賃が610円かかる駅は
A　東京　B　長野　C　富山　D　金沢　E　敦賀

(22)　金沢から特急料金を含んだ運賃が3,500円かかる駅は
A　東京　B　大宮　C　長野　D　富山　E　敦賀

(23)　大宮から金沢までの特急料金を含んだ運賃は
A　7,900円　B　9,600円　C　13,200円　D　14,500円
E　16,700円

(24)　東京から特急料金を含んだ運賃が13,600円かかる駅は
A　大宮　B　長野　C　富山　D　金沢　E　敦賀

(25)　敦賀から大宮までの普通運賃は
A　9,400円　B　10,000円　C　14,500円　D　15,000円
E　16,700円

(26)　富山から特急料金を含んだ運賃が6,800円かかる駅は
A　東京　B　大宮　C　長野　D　金沢　E　敦賀

(27)　大宮から金沢までの普通運賃は
A　3,600円　B　6,700円　C　7,500円　D　11,900円
E　14,500円

(28)　富山から普通運賃が1,040円かかる駅は
A　東京　B　大宮　C　長野　D　金沢　E　敦賀

次の表は、各駅間の普通運賃および特急料金を含んだ運賃の運賃表です。上段が普通運賃、下段が特急料金を含んだ運賃です。

【上段】 普通運賃
【下段】 普通運賃＋特急料金

※実際の運賃・料金とは異なる

| 駅　名 | 東　京 | | | | | |
|---|---|---|---|---|---|---|
| 大　宮 | 610円<br>3,300円 | 大　宮 | | | | |
| 長　野 | 4,300円<br>8,800円 | 3,600円<br>7,000円 | 長　野 | | | |
| 富　山 | 6,900円<br>13,600円 | 6,700円<br>13,200円 | 3,200円<br>7,600円 | 富　山 | | |
| 金　沢 | 7,900円<br>15,000円 | 7,500円<br>14,500円 | 4,300円<br>9,600円 | 1,040円<br>3,500円 | 金　沢 | |
| 敦　賀 | 10,000円<br>17,200円 | 9,400円<br>16,700円 | 6,400円<br>11,900円 | 3,400円<br>6,800円 | 2,400円<br>5,800円 | 敦　賀 |

(29)　長野から特急料金を含んだ運賃が8,800円かかる駅は
A　東京　B　大宮　C　富山　D　金沢　E　敦賀

(30)　富山から大宮までの普通運賃は
A　3,300円　B　6,700円　C　6,900円　D　7,600円　E　13,200円

(31)　大宮から特急料金を含んだ運賃が3,300円かかる駅は
A　東京　B　長野　C　富山　D　金沢　E　敦賀

(32)　金沢から東京までの特急料金を含んだ運賃は
A　7,500円　B　7,900円　C　10,000円　D　14,500円
E　15,000円

(33)　東京から普通運賃が4,300円かかる駅は

A　大宮　　B　長野　　C　富山　　D　金沢　　E　敦賀

(34)　富山から金沢までの普通運賃は

A　1,040円　B　4,300円　C　6,900円　D　7,500円　E　9,600円

(35)　敦賀から普通運賃が2,400円かかる駅は

A　東京　　B　大宮　　C　長野　　D　富山　　E　金沢

(36)　長野から特急料金を含んだ運賃が7,600円かかる駅は

A　東京　　B　大宮　　C　富山　　D　金沢　　E　敦賀

(37)　金沢から富山までの特急料金を含んだ運賃は

A　1,040円　B　2,400円　C　3,500円　D　4,300円　E　7,600円

(38)　富山から普通運賃が3,400円かかる駅は

A　東京　　B　大宮　　C　長野　　D　金沢　　E　敦賀

(39)　敦賀から金沢までの特急料金を含んだ運賃は

A　3,400円　B　5,800円　C　6,400円　D　6,800円　E　11,900円

(40)　富山から普通運賃が6,700円かかる駅は

A　東京　　B　大宮　　C　長野　　D　金沢　　E　敦賀

## SPI-N 検査Ⅲ

【制限時間５分】 解答と解説 → 別冊P７～８

？にあてはまる文字を答えなさい。

（1）

| A | B | C | D | E |
|---|---|---|---|---|
| 2 | 4 | 3 | 5 | 1 |

A＋？＋B＝C＋D

（2）

| A | B | C | D | E |
|---|---|---|---|---|
| 1 | 2 | 3 | 5 | 4 |

A＋？＋C＝A＋D

（3）

| A | B | C | D | E |
|---|---|---|---|---|
| 3 | 1 | 4 | 5 | 2 |

C＋？＋B＝D＋E

（4）

| A | B | C | D | E |
|---|---|---|---|---|
| 4 | 2 | 1 | 5 | 3 |

B＋？＋E＝B＋A

（5）

| A | B | C | D | E |
|---|---|---|---|---|
| 5 | 4 | 3 | 1 | 2 |

C＋？＋E＝A＋D

（6）

| A | B | C | D | E |
|---|---|---|---|---|
| 1 | 5 | 2 | 3 | 4 |

C＋E＝C＋？＋A

（7）

| A | B | C | D | E |
|---|---|---|---|---|
| 3 | 5 | 2 | 4 | 1 |

B＋E＝E＋？＋A

（8）

| A | B | C | D | E |
|---|---|---|---|---|
| 1 | 3 | 5 | 2 | 4 |

A＋E＝D＋？＋A

（9）

| A | B | C | D | E |
|---|---|---|---|---|
| 4 | 1 | 2 | 3 | 5 |

C＋E＝B＋？＋D

（10）

| A | B | C | D | E |
|---|---|---|---|---|
| 1 | 5 | 2 | 3 | 4 |

B＋E＝D＋？＋C

(11)

| A | B | C | D | E |
|---|---|---|---|---|
| 3 | 2 | 1 | 4 | 5 |

? + B + E = A + E

(12)

| A | B | C | D | E |
|---|---|---|---|---|
| 3 | 4 | 5 | 2 | 1 |

? + C + D = B + C

(13)

| A | B | C | D | E |
|---|---|---|---|---|
| 5 | 2 | 4 | 1 | 3 |

? + B + C = A + E

(14)

| A | B | C | D | E |
|---|---|---|---|---|
| 3 | 1 | 4 | 5 | 2 |

? + B + E = C + E

(15)

| A | B | C | D | E |
|---|---|---|---|---|
| 3 | 5 | 4 | 2 | 1 |

? + C + E = A + B

(16)

| A | B | C | D | E |
|---|---|---|---|---|
| 2 | 3 | 1 | 5 | 4 |

? + A + D = E + D

(17)

| A | B | C | D | E |
|---|---|---|---|---|
| 1 | 2 | 4 | 3 | 5 |

? + B + E = C + E

(18)

| A | B | C | D | E |
|---|---|---|---|---|
| 3 | 2 | 5 | 4 | 1 |

? + A + E = B + D

(19)

| A | B | C | D | E |
|---|---|---|---|---|
| 3 | 5 | 1 | 4 | 2 |

? + D + E = B + A

(20)

| A | B | C | D | E |
|---|---|---|---|---|
| 2 | 4 | 3 | 1 | 5 |

? + A + B = B + E

(21)

| A | B | C | D | E |
|---|---|---|---|---|
| 3 | 4 | 5 | 1 | 2 |

E + A + ? = B + C

(22)

| A | B | C | D | E |
|---|---|---|---|---|
| 2 | 1 | 3 | 4 | 5 |

B + C + ? = A + E

(23)

| A | B | C | D | E |
|---|---|---|---|---|
| 4 | 3 | 2 | 1 | 5 |

D + A + ? = E + C

(24)

| A | B | C | D | E |
|---|---|---|---|---|
| 4 | 1 | 2 | 3 | 5 |

D + B + ? = C + E

(25)

| A | B | C | D | E |
|---|---|---|---|---|
| 5 | 2 | 3 | 4 | 1 |

B + D + ? = D + A

(26)

| A | B | C | D | E |
|---|---|---|---|---|
| 1 | 2 | 5 | 4 | 3 |

E + A + ? = A + C

(27)

| A | B | C | D | E |
|---|---|---|---|---|
| 3 | 1 | 2 | 4 | 5 |

B + A + ? = D + E

(28)

| A | B | C | D | E |
|---|---|---|---|---|
| 4 | 2 | 1 | 5 | 3 |

A + C + ? = C + D

(29)

| A | B | C | D | E |
|---|---|---|---|---|
| 5 | 1 | 4 | 2 | 3 |

D + E + ? = C + D

(30)

| A | B | C | D | E |
|---|---|---|---|---|
| 3 | 4 | 2 | 1 | 5 |

E + A + ? = B + E

(31)

| A | B | C | D | E |
|---|---|---|---|---|
| 5 | 4 | 2 | 1 | 3 |

B + E = B + D + ?

(32)

| A | B | C | D | E |
|---|---|---|---|---|
| 1 | 2 | 5 | 3 | 4 |

C + B = A + D + ?

(33)

| A | B | C | D | E |
|---|---|---|---|---|
| 4 | 3 | 2 | 5 | 1 |

D + E = B + E + ?

(34)

| A | B | C | D | E |
|---|---|---|---|---|
| 5 | 1 | 2 | 3 | 4 |

A + D = B + D + ?

(35)

| A | B | C | D | E |
|---|---|---|---|---|
| 1 | 4 | 2 | 3 | 5 |

D + E = A + C + ?

(36)

| A | B | C | D | E |
|---|---|---|---|---|
| 2 | 3 | 5 | 4 | 1 |

B + C = D + A + ?

(37)

| A | B | C | D | E |
|---|---|---|---|---|
| 2 | 1 | 4 | 5 | 3 |

A + D = B + E + ?

(38)

| A | B | C | D | E |
|---|---|---|---|---|
| 3 | 2 | 4 | 1 | 5 |

C + E = D + E + ?

(39)

| A | B | C | D | E |
|---|---|---|---|---|
| 2 | 3 | 1 | 4 | 5 |

B + D = B + C + ?

(40)

| A | B | C | D | E |
|---|---|---|---|---|
| 1 | 5 | 3 | 2 | 4 |

D + B = E + A + ?

(41)

| A | B | C | D | E |
|---|---|---|---|---|
| 4 | 5 | 3 | 1 | 2 |

? + D + E = A + C

(42)

| A | B | C | D | E |
|---|---|---|---|---|
| 2 | 5 | 1 | 4 | 3 |

? + A + E = B + D

(43)

| A | B | C | D | E |
|---|---|---|---|---|
| 2 | 4 | 1 | 3 | 5 |

? + A + C = D + E

(44)

| A | B | C | D | E |
|---|---|---|---|---|
| 5 | 3 | 4 | 2 | 1 |

? + C + E = A + D

(45)

| A | B | C | D | E |
|---|---|---|---|---|
| 1 | 3 | 2 | 5 | 4 |

? + A + B = D + E

(46)

| A | B | C | D | E |
|---|---|---|---|---|
| 4 | 5 | 2 | 3 | 1 |

B + E = C + D + ?

(47)

| A | B | C | D | E |
|---|---|---|---|---|
| 1 | 5 | 2 | 3 | 4 |

B + C = A + C + ?

(48)

| A | B | C | D | E |
|---|---|---|---|---|
| 5 | 2 | 1 | 4 | 3 |

D + E = C + B + ?

(49)

| A | B | C | D | E |
|---|---|---|---|---|
| 2 | 1 | 5 | 3 | 4 |

E + A = A + D + ?

(50)

| A | B | C | D | E |
|---|---|---|---|---|
| 1 | 4 | 5 | 2 | 3 |

B + D = A + B + ?

## SPI-N　検査Ⅳ

【制限時間 8 分】　解答と解説 → 別冊P 8 〜10

次の計算をし、A〜Dから正答を１つ選びなさい。

（1）　4 + 3 −（− 5）

A　2　　B　12
C　13　　D　いずれでもない

（2）　（6 +30）÷ 4

A　6　　B　9
C　12　　D　いずれでもない

（3）　0.45+12.85

A　13.13　　B　13.25
C　13.3　　D　いずれでもない

（4）　4 + 3 + 2 + 7 + 6 + 5

A　27　　B　28
C　38　　D　いずれでもない

（5）　0.9÷0.1

A　0.09　　B　0.9
C　9　　D　いずれでもない

（6）　（7 +19）÷ 5

A　4.8　　B　5.2
C　5.8　　D　いずれでもない

（7）　12.075−0.015

A　11.925　　B　12.06
C　12.6　　D　いずれでもない

（8）　6723+519

A　7242　　B　7252
C　7342　　D　いずれでもない

（9）　$\frac{5}{9} \times \frac{6}{7}$

A　$\frac{35}{63}$　　B　$\frac{56}{63}$
C　$\frac{10}{21}$　　D　いずれでもない

（10）　5 +29÷ 5

A　5.8　　B　10.8
C　29　　D　いずれでもない

（11）　54−16+44

A　82　　B　102
C　114　　D　いずれでもない

（12）　5.5+3.7−2.8

A　6.4　　B　5.4
C　12　　D　いずれでもない

（13）　7775−5555

A　222　　B　220
C　2220　　D　いずれでもない

（14）　6687−462÷ 6

A　1037　　B　2460
C　6610　　D　いずれでもない

（15）　4276+5724

A　9990　　B　10000
C　10010
D　いずれでもない

(16) $\frac{2}{3} \div \frac{9}{21}$

A $\frac{2}{7}$　B $\frac{9}{14}$

C $\frac{14}{9}$　D いずれでもない

(17) $133 \div 19 + 5$

A 7　B 12

C 12.5　D いずれでもない

(18) $4.99 + 5.31$

A 9.93　B 10.3

C 11.3　D いずれでもない

(19) $(34.5 - 3.7) \div 7.7$

A 4　B 5.2

C 6.7　D いずれでもない

(20) $6 - (-9) - 7$

A $-22$　B 7

C 8　D いずれでもない

(21) $55.87 + 22.123$

A 77.993　B 78

C 78.993

D いずれでもない

(22) $\frac{4}{7} + \frac{1}{6}$

A $\frac{2}{21}$　B $\frac{31}{42}$

C $\frac{37}{42}$　D いずれでもない

(23) $472 + 69 \div 0.23$

A 502　B 662

C 772　D いずれでもない

(24) $89 - 43 + 56$

A 72　B 87

C 102　D いずれでもない

(25) $4.24 \times 10^3$

A 424　B 4240

C 42400

D いずれでもない

(26) $\frac{3}{5} \times 3\frac{5}{6}$

A $\frac{23}{10}$　B $3\frac{3}{10}$

C $3\frac{7}{30}$

D いずれでもない

(27) $38.6 + 3.6 \div 1.2$

A 39.6　B 41.6

C 43.6　D いずれでもない

(28)　$8916-2999$

A　5907　B　5917

C　5918　D　いずれでもない

(29)　$7.5 \div 10^2$

A　0.075　B　0.75

C　7.5　D　いずれでもない

(30)　$\frac{5}{12}-\frac{3}{8}$

A　$\frac{1}{24}$　B　$\frac{1}{12}$

C　$\frac{1}{4}$　D　いずれでもない

(31)　$(24.4+4.86) \div 1.1$

A　26.27　B　26.34

C　26.6　D　いずれでもない

(32)　$66+39-87$

A　13　B　18

C　19　D　いずれでもない

(33)　$10-36 \div 4.8$

A　$-2.5$　B　2.5

C　7.5　D　いずれでもない

(34)　$\frac{5}{6} \div 2\frac{5}{6}$

A　$\frac{5}{17}$　B　$3\frac{1}{17}$

C　$\frac{85}{36}$　D　いずれでもない

(35)　$11 \times 111$

A　1221　B　1231

C　1222　D　いずれでもない

(36)　$8.16-3.98$

A　4.18　B　4.19

C　5.18　D　いずれでもない

(37)　$5.03 \times 10^4$

A　503　B　5030

C　50300

D　いずれでもない

(38)　$\frac{3}{56}+\frac{1}{14}$

A　$\frac{1}{9}$　B　$\frac{1}{8}$

C　$\frac{1}{7}$　D　いずれでもない

(39)　$(-6)^2 \times 6+6$

A　112　B　222

C　1296　D　いずれでもない

(40)　$7\frac{1}{5} \times 6\frac{1}{4}$

A　$8\frac{1}{9}$　B　45

C　$55\frac{1}{9}$

D　いずれでもない

## SPI-N　検査V　【制限時間8分】　解答と解説 → 別冊P10〜15

読み方の問題では(　)内に書かれた漢字の読み方が正しいかどうかを答えてください。書き方の問題では(　)に書かれた漢字が、下線部のカタカナと正しく対応しているかどうかを答えてください。どちらの問題も、正しいときは正、誤っているときは誤を塗りつぶしてください。

(1)　履行(リコウ)　正・誤
(2)　酪農(カクノウ)　正・誤
(3)　肖像(ショウゾウ)　正・誤
(4)　極地(ゴクチ)　正・誤
(5)　流布(リュウフ)　正・誤

(6)　分析(ブンセキ)　正・誤
(7)　斉唱(サイショウ)　正・誤
(8)　滋養(ジヨウ)　正・誤
(9)　罷免(ノウメン)　正・誤
(10)　直面(ジキメン)　正・誤

(11)　手紙にハイケイ(拝敬)と書く　正・誤
(12)　問題点をカイケツ(解決)する　正・誤
(13)　新入生をカンゲイ(観迎)する　正・誤
(14)　意見をサンコウ(参孝)にする　正・誤
(15)　セイミツ(精蜜)機械が必要だ　正・誤

(16)　お金をクメン(工面)する　正・誤
(17)　相手をアットウ(圧倒)する　正・誤
(18)　ジゼン(時前)の準備が大切だ　正・誤
(19)　座右の銘はイチゴイチエ(一後一会)だ　正・誤
(20)　正しいハンダン(判断)をする　正・誤

(21)　安定(アンジョウ)　正・誤
(22)　実態(ジッタイ)　正・誤
(23)　絵画(エガ)　正・誤
(24)　達成(タッセイ)　正・誤
(25)　悪寒(アッカン)　正・誤

(26)　醜態(シュウタイ)　正・誤
(27)　懲役(チョウヤク)　正・誤
(28)　永劫(エイゴウ)　正・誤
(29)　破棄(ハイキ)　正・誤
(30)　遵守(ソンシュ)　正・誤

(31)　ジンソク(陣速)に処理する　正・誤
(32)　家をタンポ(担保)に入れる　正・誤
(33)　ケンカイ(見界)の相違がある　正・誤
(34)　ザットウ(雑倒)を避けて歩く　正・誤
(35)　仕掛けがコウミョウ(巧妙)だ　正・誤

(36)　ゴカク(互各)の戦いが続く　正・誤
(37)　水のジョウカ(浄化)装置　正・誤
(38)　センモン(専問)科目は難しい　正・誤
(39)　隣家とのキョウカイ(境界)　正・誤
(40)　素敵なベッソウ(別壮)がある　正・誤

(41)　迷惑(メイロウ)　正・誤
(42)　砂利(サリ)　正・誤
(43)　盤石(バンセキ)　正・誤
(44)　気配(ケハイ)　正・誤
(45)　至極(シキョク)　正・誤

(46)　縁側(エンソク)　正・誤
(47)　戸棚(トダナ)　正・誤
(48)　確証(カクショウ)　正・誤
(49)　憮然(ムゼン)　正・誤
(50)　治安(ジアン)　正・誤

(51)　取締会をショウシュウ(招集)する　正・誤
(52)　オクソク(奥測)で判断しない　正・誤
(53)　絵画をカンショウ(観賞)する　正・誤

(54)　テンペンチイ(天変地異)が起こる　正・誤
(55)　国会のショウシュウ(召集)　正・誤

(56)　シンチョウ(慎重)に検討する　正・誤
(57)　チクジ(逐次)報告をする　正・誤
(58)　ダラク(墜落)したものだ　正・誤
(59)　車をコウニュウ(講入)する　正・誤
(60)　物理のジッケン(実験)を行う　正・誤

(61)　定説(ジョウセツ)　正・誤
(62)　海原(ウナバラ)　正・誤
(63)　効力(コウリキ)　正・誤
(64)　持論(ジロン)　正・誤
(65)　合作(ゴウサク)　正・誤

(66)　著作(チョサク)　正・誤
(67)　嫌悪(ケンアク)　正・誤
(68)　念願(ネンガン)　正・誤
(69)　他言(タゲン)　正・誤
(70)　素直(ソッチョク)　正・誤

(71)　イギ(意義)を申し立てる　正・誤
(72)　満足のいくケツロン(結論)　正・誤
(73)　第三者委員会でケンショウ(検証)する　正・誤
(74)　人生のテンキ(転記)を迎える　正・誤
(75)　全員のサンドウ(賛同)を得た　正・誤

(76)　作家のコウエン(講演)を聞く　正・誤
(77)　ジッタイ(実体)のない組織　正・誤
(78)　ジゼン(次善)事業を行う　正・誤
(79)　実力をコジ(個示)する　正・誤
(80)　アンピ(安否)を確認する　正・誤

(81) 完治(カンジ) 正・誤
(82) 曖昧(アイミ) 正・誤
(83) 孤高(ココウ) 正・誤
(84) 無難(ムナン) 正・誤
(85) 実力(ジツリョク) 正・誤

(86) 払拭(フッショク) 正・誤
(87) 欠如(ケツジョ) 正・誤
(88) 伝言(デンゴン) 正・誤
(89) 荘重(ソウジュウ) 正・誤
(90) 合体(ゴウタイ) 正・誤

(91) アイソ(愛想)よくふるまう 正・誤
(92) それはメイシン(迷心)だ 正・誤
(93) セッキョクテキ(績極的)な態度を見せる 正・誤
(94) 皆でケッソク(結束)を高める 正・誤
(95) カクヤク(確約)をもらう 正・誤

(96) ゼッコウ(絶好)のチャンスだ 正・誤
(97) オウキュウ(応救)処置を施す 正・誤
(98) 会社のジッケン(実権)を握る 正・誤
(99) 将来をヒカン(非観)する 正・誤
(100) 絶対アンセイ(安静)を告げられる 正・誤

(101) 荘厳(ソウゲン) 正・誤
(102) 甘美(カンミ) 正・誤
(103) 自重(ジジュウ) 正・誤
(104) 端緒(タンショ) 正・誤
(105) 懇意(コンイ) 正・誤

(106) 完遂(カンツイ) 正・誤
(107) 親睦(シンボク) 正・誤
(108) 結実(ケツミ) 正・誤

(109) 進出(シンシュツ) 正・誤
(110) 淘汰(トウタ) 正・誤

(111) 人をソンチョウ(尊重)する 正・誤
(112) 愛をコクハク(告白)する 正・誤
(113) 一般からコウボ(公募)する 正・誤
(114) 生徒をインソツ(引卒)する 正・誤
(115) 仲間のイッタイカン(一体観)が強まる 正・誤

(116) 約束をジッコウ(実行)する 正・誤
(117) ショクタク(食宅)を囲む 正・誤
(118) 長期的なテンボウ(展望) 正・誤
(119) リキテン(力点)を置く科目 正・誤
(120) メイカク(明確)な態度 正・誤

(121) 堅気(カタギ) 正・誤
(122) 躍進(ヤクシン) 正・誤
(123) 合併(ゴウヘイ) 正・誤
(124) 網羅(モウラ) 正・誤
(125) 笑顔(エガオ) 正・誤

(126) 洞察(ドウサツ) 正・誤
(127) 循環(ジュンカン) 正・誤
(128) 実感(ジッカン) 正・誤
(129) 行列(コウレツ) 正・誤
(130) 普遍(フヘン) 正・誤

(131) 税金のトクソク(督足)状 正・誤
(132) カンペキ(完壁)な仕上がり 正・誤
(133) 出口をフウサ(封鎖)する 正・誤
(134) 練習のセイカ(成果)が出る 正・誤
(135) 授業をサンカン(参観)する 正・誤

(136) 作業がナンコウ(難行)する　　正・誤
(137) 意見をシュウヤク(集約)する　　正・誤
(138) 意見をヘイキ(併記)する　　正・誤
(139) マンゼン(漫然)と過ごす　　正・誤
(140) どれもイッチョウイッタン(一長一短)がある　　正・誤

(141) 伴奏(ハンソウ)　　正・誤
(142) 技巧(ギコウ)　　正・誤
(143) 逐一(チクイツ)　　正・誤
(144) 壮大(ソウダイ)　　正・誤
(145) 中傷(チュウショウ)　　正・誤

(146) 無粋(ムスイ)　　正・誤
(147) 今朝(ケサ)　　正・誤
(148) 把握(ハアク)　　正・誤
(149) 繁盛(ハンセイ)　　正・誤
(150) 物議(ブツギ)　　正・誤

## SPI-H　検査Ⅰ[言語]

【制限時間30分】
解答と解説 → 別冊P17～20

最初に示された語と最も意味が近いものを１つ選びなさい。

（１）　互角
　A　平等　B　交互　C　緊張　D　伯仲　E　接近

（２）　興味
　A　趣味　B　関心　C　興奮　D　配慮　E　干渉

（３）　専念
　A　没頭　B　念願　C　専門　D　専従　E　成果

（４）　企画
　A　実行　B　意図　C　達成　D　参画　E　計画

（５）　出版
　A　雑誌　B　記事　C　刊行　D　読書　E　発売

（６）　失意
　A　失望　B　失敗　C　決意　D　失策　E　合意

（７）　欠陥
　A　欠員　B　陥没　C　不足　D　不備　E　補償

（８）　親密
　A　親切　B　親戚　C　懇意　D　友人　E　隠密

最初に示された語と反対の意味になるものを１つ選びなさい。

(９) 軽率

A 重量　B 重宝　C 重大　D 多重　E 慎重

(10) 真実

A 虚栄　B 虚偽　C 偽装　D 空虚　E 偽善

(11) 短縮

A 拡張　B 拡大　C 延期　D 延長　E 成長

(12) 干渉

A 自由　B 放浪　C 放任　D 自在　E 無限

(13) 需要

A 販売　B 供給　C 商品　D 不要　E 要求

(14) 生産

A 消費　B 製品　C 原料　D 死滅　E 消滅

(15) 加入

A 引退　B 減少　C 強制　D 脱退　E 脱出

(16) 自然

A 環境　B 工業　C 偶然　D 保護　E 人工

最初に示された2語の関係を考え、これと同じ関係を示す対を選びなさい。

(17)　こんぶ：海藻
ア　楽器：ピアノ
イ　ギター：演奏
ウ　百科事典：書籍
A　アだけ　B　イだけ
C　ウだけ　D　アとイ
E　アとウ　F　イとウ

(18)　ボールペン：筆記
ア　はさみ：裁断
イ　大豆：豆腐
ウ　ペンキ：塗装
A　アだけ　B　イだけ
C　ウだけ　D　アとイ
E　アとウ　F　イとウ

(19)　寒天：ようかん
ア　アルミニウム：1円玉
イ　味噌：大豆
ウ　たくあん：大根
A　アだけ　B　イだけ
C　ウだけ　D　アとイ
E　アとウ　F　イとウ

(20)　引率：添乗員
ア　助言：カウンセラー
イ　演技：俳優
ウ　キーボード：入力
A　アだけ　B　イだけ
C　ウだけ　D　アとイ
E　アとウ　F　イとウ

(21)　我慢：忍耐
ア　自然：突然
イ　切断：接続
ウ　互角：対等
A　アだけ　B　イだけ
C　ウだけ　D　アとイ
E　アとウ　F　イとウ

(22)　過剰：不足
ア　偶然：必然
イ　勤勉：怠惰
ウ　自立：尊敬
A　アだけ　B　イだけ
C　ウだけ　D　アとイ
E　アとウ　F　イとウ

(23)　ドイツ語：日本語
ア　通訳：ガイド
イ　松：杉
ウ　語学：学校
A　アだけ　B　イだけ
C　ウだけ　D　アとイ
E　アとウ　F　イとウ

(24)　硯(すずり)：墨(すみ)
ア　絵画：音楽
イ　野球：球技
ウ　縫い針：糸
A　アだけ　B　イだけ
C　ウだけ　D　アとイ
E　アとウ　F　イとウ

(25) 音楽：歌謡曲
ア　オートバイ：自転車
イ　家電製品：冷蔵庫
ウ　サインペン：文房具
A　アだけ　B　イだけ
C　ウだけ　D　アとイ
E　アとウ　F　イとウ

(26) 洗髪：シャンプー
ア　診察：聴診器
イ　ナイフ：フォーク
ウ　実験：試験管
A　アだけ　B　イだけ
C　ウだけ　D　アとイ
E　アとウ　F　イとウ

最初に示された2語と同じ関係になっている語を選びなさい。

(27) チューリップ：植物
文学
A　文字
B　芸術
C　絵画
D　詩
E　音楽

(28) 電球：照明
カメラ
A　フィルム
B　保存
C　テレビ
D　モデル
E　撮影

(29) あん：小豆
コンクリート
A　鉄筋
B　マンション
C　セメント
D　建築
E　鉄鉱石

(30) ピアニスト：演奏
アンパイア
A　対戦
B　公正
C　正確
D　審判
E　宣言

(31) 拡大：縮小
安全
A　完全
B　不全
C　危険
D　戦争
E　確認

(32) 賛成：同意
貢献
A　参加
B　寄与
C　寄付
D　献上
E　実力

最初に示された文と意味が最もよく合致するものを１つ選びなさい。

(33)　心が広く人を許し受け入れること
A　了解　B　寛容　C　取得　D　免許　E　器量

(34)　一度出した意見や書類などを取り下げること
A　引退　B　自滅　C　回収　D　撤回　E　却下

(35)　間違いを正し直すこと
A　公平　B　反省　C　是正　D　正確　E　再起

(36)　責任をなすりつけること
A　転嫁　B　回避　C　逃避　D　追及　E　中傷

(37)　ひとつのことに集中すること
A　一極　B　過熱　C　熱望　D　集合　E　没頭

(38)　社会に大きな影響を与えるような突然の出来事
A　突発　B　旋風　C　突風　D　順風　E　逆風

(39)　めざましい勢いで、急に発展すること
A　躍進　B　前進　C　成長　D　進歩　E　革新

(40)　天気がよくて、おだやかなようす
A　はなやか　B　ひそやか　C　あざやか
D　うららか　E　しめやか

(41)　その場その場に応じて適切な行動をとること
A　一気呵成　B　臨機応変　C　一朝一夕　D　唯我独尊
E　一念発起

(42)　気が置けない
A　信じられない　B　落ち着かない　C　油断できない
D　気を使わずにすむ　E　集中力がない

次の文を読んで、(43)から(46)までの問いに答えなさい。

声を出して読むと言えば、やはり、昔は新聞を音読する大人がいたものだ。そのころの新聞は総ルビで、すべての漢字に仮名がふってあった。仮名ならなんとか声にできる。それで新聞はだれにも読めることになっていた。そういう仮名をひろって読む人は声を出す。黙って読むことはしない。

声を出して新聞を読む老人に向かって、うるさいから黙って読んだらどうだ、という意地悪なことを言ったとする。そうすると、悲しそうに、声を出さなければ、読めないではないか、と答えたものだ。声を出すから読めている。黙って読んでは意味もわからなくなる。

こういう読者にどこまで内容がわかっていたか疑問であるが、当人たちはりっぱに読んだつもりになっていた。声を出せば、読めると思っていた。黙読が一般的になったのは、それほど昔のことではない。

新聞を音読する読者は決して異常なわけではない。もともと、「読む」というのは、どこの国においても、まず、声を出す音読を意味する。黙読から読みの始まる国はなかったのではないか。　（外山滋比古『「読み」の整理学』）

(43)　文中に述べられていることと合致するものは、次のうちどれか。

ア　昔は新聞が総ルビで、仮名をひろって音読する大人がいた
イ　昔の新聞はだれでも読めるような内容だった
ウ　声を出して新聞を読むのはうるさい

A　アだけ　B　イだけ　C　ウだけ　D　アとイ
E　アとウ　F　イとウ

(44)　文中に述べられていることと合致するものは、次のうちどれか。

ア　声を出して新聞を読む老人は実は黙って読むことができる
イ　声を出して新聞を読む人は内容の理解度を別にして、読んだつもりになっていた
ウ　元来「読む」ことは音読を意味し、黙読が一般的になったのはそれより後のことである

A　アだけ　B　イだけ　C　ウだけ　D　アとイ
E　アとウ　F　イとウ

(45)　声を出して新聞を読む老人は、なぜ、下線部のように答えたのか。

A　うるさいと言われたことが恥ずかしかったから

B　黙読よりも音読の方が理解できると経験的に知っていたから

C　老人にとっては音読することが読むことを意味していたから

D　音読と比べて黙読を軽視していたから

E　読んだつもりになれればそれでよかったから

(46)　この文の要旨として妥当なものはどれか。

A　昔の新聞は総ルビであったので、誰でも新聞を読むことができた

B　黙読が一般的になった今、音読するのはうるさいからやめるべきだ

C　内容を完全に理解することよりも、声に出して「読む」という行為が重要である

D　昔は新聞を音読する人がいたように、「読む」ことはまず音読を意味している

E　現代でも昔に戻って新聞を音読するべきである

次の文を読んで、(47)から(50)までの問いに答えなさい。

大学で法律学を学びはじめた学生や、人生の中ではじめて法律問題にぶつかった市民は、法律のかた苦しい条文や、そのむずかしい理屈に圧倒され、しばしばとほうにくれるであろう。このような法の技術的なしくみは、もちろん重要ではあるが、第二義的なことにすぎない。私たちはその技術に迷わされることなく、技術の背後にある法の精神を見ぬかなければならない。いくら法の技術を学んでも、その精神がわからなければ、法がわかったとは到底いえない。

法の精神とは、一言でいえば、正義である。それゆえ、法とは何かという問いは、正義とは何か、という問いに置きかえられる。芸術は「美」を探究する、科学は「真理」を探究する、という例にたとえるなら、法学は「正義」を探究するということになろう。だから、法を学ぶ者は、正義を求め、正義を実現する精神を身につけなければならない。

この原点を忘れた者は、法について語る資格はない。このような人が、法を学び、使うことは、むしろ有害でさえある。　（渡辺洋三『法とは何か 新版』）

(47) 文中に述べられていることと合致するものは、次のうちどれか。

ア 法を学ぶということは、法の技術的なしくみを理解することだ

イ 正義は、個人的なものであると同時に、その社会において普遍的なものである

ウ 「法の精神」とは、社会的不正義との戦いにほかならない

A アだけ　B イだけ　C ウだけ　D アとイとウ

E すべて合致しない

(48) 文中に述べられていることと合致するものは、次のうちどれか。

ア 法を学ぶ者は、正義を求め、それを実現するために、法のしくみやその構造を理解しなければならない

イ 法律知識を独占し、その知識を、正義のために使わない者が多いほど、有害である

ウ 法を真の意味で理解するということは、法の精神を理解するということである

A アだけ　B イだけ　C ウだけ　D アとイとウ

E すべて合致しない

(49) 下線部は、何を指しているか。A～Eの中から選びなさい。

A 法学は「正義」を探究する学問であること

B 法の精神は「正義」であるということ

C 「正義」を探究し、それを実現する精神のこと

D 法とは何かを考えるうえで最も大切なことは、法の精神とは何かということ

E 法の技術的なしくみのこと

(50) この文の表題として、最も妥当なものはどれか。A～Eの中から選びなさい。

A 法と正義

B 法の技術

C 正義の普遍性・公共性

D 法解釈のしくみ

E 権利のための闘争

次の文を読んで、(51)から(54)までの問いに答えなさい。

動物は動くと必ず疲れるし、疲れを回復させるには一定期間、休息をとらなければならないのです。これは動物が筋肉で動いている限り逃れることのできない宿命です。

みながいっせいに働くシステムは、同じくらい働いて同時に全員が疲れてしまい、誰も働けなくなる時間がどうしても生じてしまいます。

つまり、誰もが必ず疲れる以上、働かないものを常に含む非効率的なシステムでこそ、長期的な存続が可能になり、長い時間を通してみたらそういうシステムが選ばれていた、ということになります。働かない働きアリは、怠けてコロニーの効率をさげる存在ではなく、それがいないとコロニーが存続できない、きわめて重要な存在だといえるのです。

重要なのは、ここでいう働かないアリとは、社会の利益にただ乗りし、自分の利益だけを追求する裏切り者ではなく、「働きたいのに働けない」存在であるということです。　（長谷川英祐『働かないアリに意義がある』）

(51)　文中に述べられていることと合致するものは、次のうちどれか。

ア　働いていたものが疲労して働けなくなると、仕事が処理されずに残るため、労働刺激が大きくなる

イ　短い時間であっても、それを中断するとコロニーに致命的なダメージを与える仕事が存在する

ウ　働かないものにも、存在意義はちゃんとある

A　アだけ　B　イだけ　C　ウだけ　D　アとイとウ

E　すべて合致しない

(52)　文中に述べられていることと合致するものは、次のうちどれか。

ア　働かないものがいるシステムのほうが、コロニーは長期的な存続が可能になる

イ　みながいっせいに働くシステムのほうが労働効率はいい

ウ　動物の宿命である疲労が分業や労働パターンに与える影響は大きい

A　アだけ　B　イだけ　C　ウだけ　D　アとイとウ

E　すべて合致しない

(53) 下線部は、どのようなシステムか。A～Eの中から選びなさい。

A　反応閾値が異なるシステム
B　非効率を前提とした働かない者を含むシステム
C　機械のように動くシステム
D　みながいっせいに働くシステム
E　怠けてコロニーの効率をさげるシステム

(54) この文の表題として、最も妥当なものはどれか。A～Eの中から選びなさい。

A　アリの生態
B　労働と疲労の関係性
C　動物の宿命
D　みなが疲れると社会は続かない
E　不器用な人間が世界を救う

## SPI-H 検査Ⅱ［非言語］

【制限時間40分】
解答と解説 → 別冊P21～27

次の計算をしなさい。

（1）$\frac{1}{8} \times \frac{2}{7} =$

A $\frac{1}{56}$　B $\frac{1}{28}$　C $\frac{23}{56}$　D $\frac{4}{7}$　E $\frac{6}{7}$

（2）$0.59 + 0.062 =$

A 0.152　B 0.458　C 0.652　D 0.662　E 1.21

（3）$43 \div 12.5 =$

A 3.33　B 3.34　C 3.43　D 3.44　E 4.44

（4）$3160 \div 40 + 40 =$

A 39.5　B 119　C 120.5　D 180　E 240

（5）$3.09 \times 0.01 =$

A 0.0039　B 0.0309　C 0.309　D 0.39　E 0.3909

（6）$\frac{2}{3} \div \frac{5}{9} =$

A $\frac{1}{5}$　B $\frac{3}{5}$　C $1\frac{1}{5}$　D $2\frac{1}{5}$　E $1\frac{3}{5}$

（7）$4050 \div (32 + 58) =$

A 22.5　B 25　C 35.5　D 45　E 50

（8）$\frac{2}{5} + \frac{9}{45} - \frac{4}{15} =$

A $\frac{1}{45}$　B $\frac{1}{15}$　C $\frac{1}{3}$　D $\frac{13}{45}$　E $\frac{3}{5}$

(9)　$13-44\div12.5=$

A　$-2.48$　B　9.48　C　12.52　D　13.52　E　14.85

(10)　$50^2+(-40)^2=$

A　$-900$　B　900　C　1200　D　24100　E　4100

(11)　$\frac{1}{2}\times0.7+34.5=$

A　34.35　B　34.85　C　35.25　D　38　E　38.25

(12)　$\frac{2}{5}\div\frac{3}{45}-\frac{1}{5}=$

A　$\frac{4}{15}$　B　$\frac{3}{5}$　C　$5\frac{3}{45}$　D　$5\frac{4}{5}$　E　$8\frac{4}{5}$

ある仕事をするのにA1人では20時間、B1人では12時間、C1人では15時間かかる。(13)(14)の問いに答えなさい。

(13)　3人同時に働いたら、仕事は何時間で終わるか。

A　3時間　B　4時間　C　5時間
D　6時間　E　7時間　F　8時間

(14)　最初は3人同時に働き始めたが、2時間後にAが抜け、後は2人で行った。最初に働き始めてから、仕事は何時間で終了したか。

A　3時間30分　B　4時間　C　4時間30分
D　5時間　E　5時間30分　F　6時間

(15)　12%の食塩水が500gある。ある量の食塩を加えて20%の食塩水にした。加えた食塩は何gか。

A　20g　B　25g　C　30g
D　32g　E　40g　F　50g

ある会社が土地を購入するにあたり、手付金として購入総額の$\frac{1}{4}$を支払い、受け渡し時に購入総額の$\frac{2}{5}$を支払った。(16)(17)の問いに答えなさい。なお、分割に対する利息などは考慮しない。

(16) 支払い残高は購入総額のどれだけにあたるか。

A $\frac{1}{4}$　B $\frac{1}{2}$　C $\frac{7}{20}$

D $\frac{13}{20}$　E $\frac{3}{4}$　F $\frac{4}{5}$

(17) 支払い残高を20回の均等払いにした場合、12回目を支払った後、それまでの支払い総額は購入総額のどれだけにあたるか。

A $\frac{14}{25}$　B $\frac{17}{25}$　C $\frac{37}{50}$

D $\frac{77}{100}$　E $\frac{79}{100}$　F $\frac{43}{50}$

(18) ある商品を定価9,000円の２割引きで売ったら、原価の20％の利益が出た。この商品の原価はいくらか。

A 4,600円　B 5,200円　C 5,800円

D 6,000円　E 6,250円　F 6,850円

(19) 仕入れ値の２割５分の利益を見込んで2,500円の定価をつけた商品がある。最低でも仕入れ値の１割の利益を得るには、いくらまで値引きできるか。

A 50円　B 75円　C 125円

D 200円　E 300円　F 320円

(20)　ある地区では、P新聞を購読している世帯は全体の60％、Q新聞を購読している世帯は全体の50％、両方を購読している世帯は全体の30％、どちらも購読していない世帯は9世帯であった。この地区の世帯数はいくらか。

A　36世帯　　B　40世帯　　C　45世帯
D　48世帯　　E　52世帯　　F　55世帯

(21)　1周3.6kmある池のまわりをA君は毎分92m、B君は毎分88mで同時に同じ場所から逆方向に歩き始めた。2人が出会うのは何分後か。

A　5分　　B　10分　　C　15分
D　20分　　E　25分　　F　30分

(22)　1周3.3kmある池のまわりをA君は毎分300mで走り、B君は毎分80mで歩く。2人が同時に同じ場所から同方向に出発したとき、A君がB君を最初に追い越すのは何分後か。

A　5分　　B　10分　　C　15分
D　20分　　E　25分　　F　30分

ある生徒が選択科目の履修届を出すことになった。A群は3科目、B群は4科目あり、それらから選択し履修する。(23)(24)の問いに答えなさい。

(23)　それぞれの群から2科目ずつ合計4科目履修する選び方は何通りあるか。

A　10通り　　B　12通り　　C　18通り
D　38通り　　E　72通り　　F　240通り

(24)　少なくともA群から1科目選び、合計3科目履修する選び方は何通りあるか。

A　14通り　　B　18通り　　C　21通り
D　24通り　　E　31通り　　F　36通り

S、Tを含む12人で掃除当番を2人決めるため、12本のうち2本が当たりくじのくじを引くことにした。最初にSが、2番目にTが引くことにした。
(25)(26)の問いに答えなさい。

(25) くじを順番に引き、引いたくじを戻さない場合、SとTがともに当たる確率はいくらか。

A $\frac{1}{66}$　B $\frac{1}{48}$　C $\frac{1}{32}$
D $\frac{1}{26}$　E $\frac{1}{13}$　F $\frac{1}{9}$

(26) くじを順番に引き、引いたくじを戻さない場合、SかTどちらかが当たる確率はいくらか。

A $\frac{1}{33}$　B $\frac{5}{33}$　C $\frac{10}{33}$
D $\frac{7}{11}$　E $\frac{8}{11}$　F $\frac{9}{11}$

(27) 現在、父は52歳で、2人の子どもの年齢の和は27歳である。父の年齢が子ども2人の年齢の和の4倍だったのは、何年前か。

A 5年　B 6年　C 7年
D 8年　E 9年　F 10年

(28) 三男が生まれたとき、長男の年齢は次男の年齢の4倍だった。三男が4歳のとき、長男の年齢は次男の年齢の2倍だった。三男が20歳になったときの長男の年齢はいくつか。

A 26歳　B 28歳　C 32歳
D 35歳　E 38歳　F 40歳

ある会社で販売価額は同一でサイズが異なるA、B、Cの製品を輸出している。表Ⅰは1年間に出荷した製品の地域ごとの割合を示している。表Ⅱは年間売上額を示している。売上に対する値引き・返品はないものとする。(29)(30)の問いに答えなさい。

表Ⅰ＜出荷割合＞

| 輸出国＼製品 | 製品A | 製品B | 製品C | 計 |
|---|---|---|---|---|
| アメリカ | % | 40% | 0 % | 100% |
| 中国 | 40% | 30% | 30% | 100% |
| インド | % | 50% | 20% | 100% |
| ドイツ | 30% | % | % | 100% |

表Ⅱ＜売上額：円＞

| 輸出国＼製品 | 製品A | 製品B | 製品C | 計 |
|---|---|---|---|---|
| アメリカ | | | 0 | 40,000,000 |
| 中国 | | 6,000,000 | | |
| インド | 6,000,000 | | 4,000,000 | 20,000,000 |
| ドイツ | 15,000,000 | 12,500,000 | | |

(29)　製品Aのアメリカにおける売上額はこの企業の製品A全体の売上額の何%か。必要な場合は、最後に小数第2位を四捨五入しなさい。

A　22.6%　　B　26.9%　　C　37.8%
D　42.4%　　E　45.3%　　F　50.5%

(30)　ドイツにおける製品Cの出荷割合は何%になるか。

A　20%　　B　25%　　C　30%
D　35%　　E　40%　　F　45%

(31)　次の３つの方程式で表されるグラフがある。３つの方程式を不等式に変えてAの領域を表す場合、連立不等式としての組み合わせとして正しいものはどれか。

$y=x+2$
$y=5$
$y=x^2$

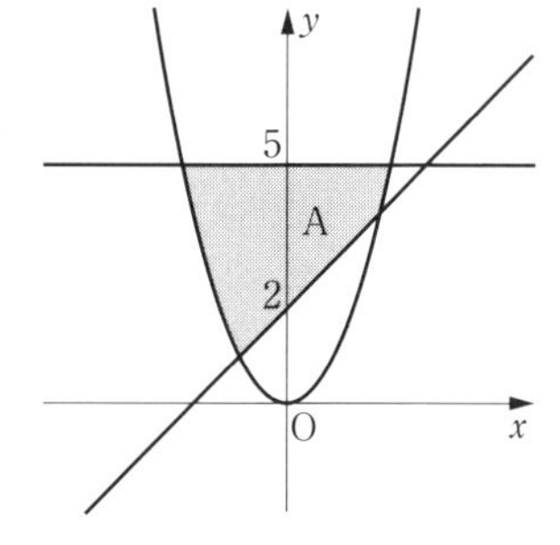

A　$y>x+2$、$y>5$、$y>x^2$
B　$y>x+2$、$y<5$、$y<x^2$
C　$y<x+2$、$y>5$、$y>x^2$
D　$y>x+2$、$y<5$、$y>x^2$
E　$y>x+2$、$y>5$、$y<x^2$
F　$y<x+2$、$y>5$、$y<x^2$

(32)　次の連立不等式が表す領域はどれか。

$y>x^2-2$
$y<x+2$
$y<2$

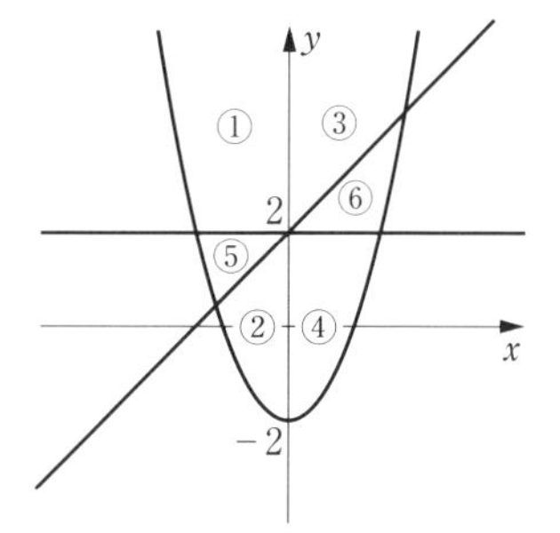


| | | | |
|---|---|---|---|
| A | ①と③ | B | ②と④ |
| C | ⑤と⑥ | D | ①と②と⑤ |
| E | ②と④と⑤ | F | ②と④と⑥ |

(33) P、Q、R、S、Tの5人がリーグ戦でテニスの試合をし、結果をそれぞれ次のように報告した。ここから確実にいえるのはどれか。ただし、引き分けはなかったものとする。

P 「私は2勝2敗だった」

Q 「私は1勝3敗で、Rに勝った」

R 「私はTに勝ったが、Sには負けた」

S 「私はPには負けなかった」

T 「私は3勝1敗だった」

A Sは、全勝で優勝した

B Pは、QとTに勝った

C Rは、2勝2敗だった

D 全勝の人はいなかった

E RはPに勝った

F TはSに負けた

G Tが勝ったのはP、Q、Rだ

H Sが負けたのはPだ

(34) P、Q、R、S、T、U、V、Wの8チームが、次のようなトーナメントで野球の試合を行った。これについて、次の①〜⑤のことがわかっている。優勝したのはどのチームか。

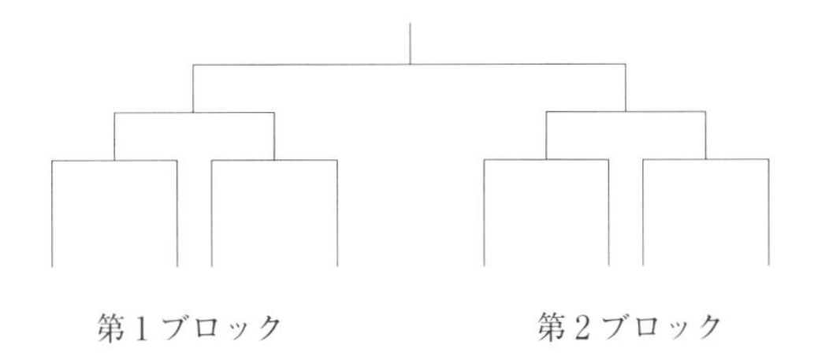

第1ブロック　第2ブロック

①Qは、第1ブロックで1回戦負けだが、対戦相手は優勝した

②VはTと同じブロックだが、Tと対戦していない

③PはSと同じブロックだが、Sと対戦していない

④Uは、第2ブロックでWと対戦して敗れた

⑤RはSに勝った

A P　B Q　C R　D S　E T

(35)　図のようなａ～ｄの４つの区画があり、それぞれＯ，Ｐ，Ｑ，Ｒの４人が所有している。次のことがわかっているとき、確実にいえるのはどれか。

「Ｐの区画はＱを含む２つに接している区画である」

①Ｐの所有地はＯと接している
②Ｑの所有地はＯと接している
③Ｒの所有地はＯと接している

| a | b | d |
|---|---|---|
| | c | |

A　①のみ　　B　②のみ　　C　③のみ　　D　①と②
E　②と③　　F　①と③　　G　①と②と③

(36)　Ｐ、Ｑ、Ｒ、Ｓ、Ｔ、Ｕの６人で集合写真を撮った。以下のことがわかっているとき、撮影者から見て、Ｕの右隣は誰か。

ア　前列・後列３人ずつで撮影した
イ　前列中央はＰである
ウ　ＱとＲは前後の位置にいた
エ　Ｔは前列であった
オ　Ｕは後列であった
カ　撮影者から見て、Ｓの右隣にはＲがいた

A　Ｐ　　B　Ｑ　　C　Ｒ
D　Ｓ　　E　Ｔ　　F　ＱかＲ

(37)　200人に、W、X、Y、Zの４人のアイドルのうちから１人、最も好きな人を選ぶアンケートをとったところ、集計結果はW、Z、X、Yの順になった。同順位はなかった。
Wを選んだ人が100人だったとすると、次のア〜ウのうち、必ずしも誤りとはいえないものはどれか。

ア　Zを選んだのは35人
イ　Xを選んだのは40人
ウ　Yを選んだのは35人

A　アだけ　　B　イだけ　　C　ウだけ
D　アとイ　　E　アとウ　　F　イとウ

(38)　P、Q、R、S、Tの５人の体重の平均は65kgで、最重量はQの81kg、最軽量はSの46kgである。RとくらべPは２kg軽く、Tは５kg重いとき、Rの体重は何kgか。

A　60kg　　B　63kg　　C　65kg
D　66kg　　E　69kg　　F　72kg

(39)　O、P、Q、Rの４つの市の人口を比較したところ、次のことがわかった。

Ⅰ）　PはRよりも人口が多い
Ⅱ）　OはQよりも人口が多い
Ⅲ）　同じ人口の市はない

次のア〜エのうち、必ずしも誤りとはいえないものはどれか。

ア　Qは２番目に人口が多い
イ　Rは最も人口が少ない
ウ　Oは２番目に人口が多い
エ　OとPの人口の合計はRとQの人口の合計より少ない

A　アとイ　　B　アとウ　　C　イとウ
D　イとエ　　E　ウとエ　　F　アとイとウ

(40)　P、Q、R、S、Tの5人が縦1列に並び、全員が同じ方向を向いている。並び方について以下のア、イがわかっているとき、Rの位置についての推論で正しいのはどれか。

ア　Sより3人前にQがいる

イ　Pの前はTを含む2人である

A　前から1番目と4番目

B　前から1番目と5番目

C　前から2番目と4番目

D　前から2番目と5番目

E　前から4番目と5番目

# 模擬試験解答用紙

## 正解数

### SPI-N

| | |
|---|---|
| 検査Ⅰ | ／100 |
| 検査Ⅱ | ／40 |
| 検査Ⅲ | ／50 |
| 検査Ⅳ | ／40 |
| 検査Ⅴ | ／150 |

### SPI-H

| | |
|---|---|
| 検査Ⅰ | ／54 |
| 検査Ⅱ | ／40 |

# SPI-N模擬試験

## 検査Ⅰ

| | | | |
|---|---|---|---|
| (1) 同 異 | (26) 同 異 | (51) 同 異 | (76) 同 異 |
| (2) 同 異 | (27) 同 異 | (52) 同 異 | (77) 同 異 |
| (3) 同 異 | (28) 同 異 | (53) 同 異 | (78) 同 異 |
| (4) 同 異 | (29) 同 異 | (54) 同 異 | (79) 同 異 |
| (5) 同 異 | (30) 同 異 | (55) 同 異 | (80) 同 異 |
| (6) 同 異 | (31) 同 異 | (56) 同 異 | (81) 同 異 |
| (7) 同 異 | (32) 同 異 | (57) 同 異 | (82) 同 異 |
| (8) 同 異 | (33) 同 異 | (58) 同 異 | (83) 同 異 |
| (9) 同 異 | (34) 同 異 | (59) 同 異 | (84) 同 異 |
| (10) 同 異 | (35) 同 異 | (60) 同 異 | (85) 同 異 |
| (11) 同 異 | (36) 同 異 | (61) 同 異 | (86) 同 異 |
| (12) 同 異 | (37) 同 異 | (62) 同 異 | (87) 同 異 |
| (13) 同 異 | (38) 同 異 | (63) 同 異 | (88) 同 異 |
| (14) 同 異 | (39) 同 異 | (64) 同 異 | (89) 同 異 |
| (15) 同 異 | (40) 同 異 | (65) 同 異 | (90) 同 異 |
| (16) 同 異 | (41) 同 異 | (66) 同 異 | (91) 同 異 |
| (17) 同 異 | (42) 同 異 | (67) 同 異 | (92) 同 異 |
| (18) 同 異 | (43) 同 異 | (68) 同 異 | (93) 同 異 |
| (19) 同 異 | (44) 同 異 | (69) 同 異 | (94) 同 異 |
| (20) 同 異 | (45) 同 異 | (70) 同 異 | (95) 同 異 |
| (21) 同 異 | (46) 同 異 | (71) 同 異 | (96) 同 異 |
| (22) 同 異 | (47) 同 異 | (72) 同 異 | (97) 同 異 |
| (23) 同 異 | (48) 同 異 | (73) 同 異 | (98) 同 異 |
| (24) 同 異 | (49) 同 異 | (74) 同 異 | (99) 同 異 |
| (25) 同 異 | (50) 同 異 | (75) 同 異 | (100) 同 異 |

## 検査Ⅱ

| | |
|---|---|
| (1) A B C D E | (11) A B C D E |
| (2) A B C D E | (12) A B C D E |
| (3) A B C D E | (13) A B C D E |
| (4) A B C D E | (14) A B C D E |
| (5) A B C D E | (15) A B C D E |
| (6) A B C D E | (16) A B C D E |
| (7) A B C D E | (17) A B C D E |
| (8) A B C D E | (18) A B C D E |
| (9) A B C D E | (19) A B C D E |
| (10) A B C D E | (20) A B C D E |

※模擬試験にチャレンジする際、コピーしてお使いください。

(21) A B C D E
(22) A B C D E
(23) A B C D E
(24) A B C D E
(25) A B C D E
(26) A B C D E
(27) A B C D E
(28) A B C D E
(29) A B C D E
(30) A B C D E
(31) A B C D E
(32) A B C D E
(33) A B C D E
(34) A B C D E
(35) A B C D E
(36) A B C D E
(37) A B C D E
(38) A B C D E
(39) A B C D E
(40) A B C D E

## 検査Ⅲ

(1) A B C D E
(2) A B C D E
(3) A B C D E
(4) A B C D E
(5) A B C D E
(6) A B C D E
(7) A B C D E
(8) A B C D E
(9) A B C D E
(10) A B C D E
(11) A B C D E
(12) A B C D E
(13) A B C D E
(14) A B C D E
(15) A B C D E
(16) A B C D E
(17) A B C D E
(18) A B C D E
(19) A B C D E
(20) A B C D E
(21) A B C D E
(22) A B C D E
(23) A B C D E
(24) A B C D E
(25) A B C D E
(26) A B C D E
(27) A B C D E
(28) A B C D E
(29) A B C D E
(30) A B C D E
(31) A B C D E
(32) A B C D E
(33) A B C D E
(34) A B C D E
(35) A B C D E
(36) A B C D E
(37) A B C D E
(38) A B C D E
(39) A B C D E
(40) A B C D E
(41) A B C D E
(42) A B C D E
(43) A B C D E
(44) A B C D E
(45) A B C D E
(46) A B C D E
(47) A B C D E
(48) A B C D E
(49) A B C D E
(50) A B C D E

※模擬試験にチャレンジする際、コピーしてお使いください。

## 検査Ⅳ

| | | | | | | | | | |
|---|---|---|---|---|---|---|---|---|---|
| (1) | A | B | C | D | (21) | A | B | C | D |
| (2) | A | B | C | D | (22) | A | B | C | D |
| (3) | A | B | C | D | (23) | A | B | C | D |
| (4) | A | B | C | D | (24) | A | B | C | D |
| (5) | A | B | C | D | (25) | A | B | C | D |
| (6) | A | B | C | D | (26) | A | B | C | D |
| (7) | A | B | C | D | (27) | A | B | C | D |
| (8) | A | B | C | D | (28) | A | B | C | D |
| (9) | A | B | C | D | (29) | A | B | C | D |
| (10) | A | B | C | D | (30) | A | B | C | D |
| (11) | A | B | C | D | (31) | A | B | C | D |
| (12) | A | B | C | D | (32) | A | B | C | D |
| (13) | A | B | C | D | (33) | A | B | C | D |
| (14) | A | B | C | D | (34) | A | B | C | D |
| (15) | A | B | C | D | (35) | A | B | C | D |
| (16) | A | B | C | D | (36) | A | B | C | D |
| (17) | A | B | C | D | (37) | A | B | C | D |
| (18) | A | B | C | D | (38) | A | B | C | D |
| (19) | A | B | C | D | (39) | A | B | C | D |
| (20) | A | B | C | D | (40) | A | B | C | D |

※模擬試験にチャレンジする際、コピーしてお使いください。

## 検査V

(1) 正 誤
(2) 正 誤
(3) 正 誤
(4) 正 誤
(5) 正 誤
(6) 正 誤
(7) 正 誤
(8) 正 誤
(9) 正 誤
(10) 正 誤
(11) 正 誤
(12) 正 誤
(13) 正 誤
(14) 正 誤
(15) 正 誤
(16) 正 誤
(17) 正 誤
(18) 正 誤
(19) 正 誤
(20) 正 誤
(21) 正 誤
(22) 正 誤
(23) 正 誤
(24) 正 誤
(25) 正 誤
(26) 正 誤
(27) 正 誤
(28) 正 誤
(29) 正 誤
(30) 正 誤
(31) 正 誤
(32) 正 誤
(33) 正 誤
(34) 正 誤
(35) 正 誤
(36) 正 誤
(37) 正 誤
(38) 正 誤
(39) 正 誤
(40) 正 誤
(41) 正 誤
(42) 正 誤
(43) 正 誤
(44) 正 誤
(45) 正 誤
(46) 正 誤
(47) 正 誤
(48) 正 誤
(49) 正 誤
(50) 正 誤
(51) 正 誤
(52) 正 誤
(53) 正 誤
(54) 正 誤
(55) 正 誤
(56) 正 誤
(57) 正 誤
(58) 正 誤
(59) 正 誤
(60) 正 誤
(61) 正 誤
(62) 正 誤
(63) 正 誤
(64) 正 誤
(65) 正 誤
(66) 正 誤
(67) 正 誤
(68) 正 誤
(69) 正 誤
(70) 正 誤
(71) 正 誤
(72) 正 誤
(73) 正 誤
(74) 正 誤
(75) 正 誤
(76) 正 誤
(77) 正 誤
(78) 正 誤
(79) 正 誤
(80) 正 誤
(81) 正 誤
(82) 正 誤
(83) 正 誤
(84) 正 誤
(85) 正 誤
(86) 正 誤
(87) 正 誤
(88) 正 誤
(89) 正 誤
(90) 正 誤
(91) 正 誤
(92) 正 誤
(93) 正 誤
(94) 正 誤
(95) 正 誤
(96) 正 誤
(97) 正 誤
(98) 正 誤
(99) 正 誤
(100) 正 誤
(101) 正 誤
(102) 正 誤
(103) 正 誤
(104) 正 誤
(105) 正 誤
(106) 正 誤
(107) 正 誤
(108) 正 誤
(109) 正 誤
(110) 正 誤
(111) 正 誤
(112) 正 誤
(113) 正 誤
(114) 正 誤
(115) 正 誤
(116) 正 誤
(117) 正 誤
(118) 正 誤
(119) 正 誤
(120) 正 誤
(121) 正 誤
(122) 正 誤
(123) 正 誤
(124) 正 誤
(125) 正 誤
(126) 正 誤
(127) 正 誤
(128) 正 誤
(129) 正 誤
(130) 正 誤
(131) 正 誤
(132) 正 誤
(133) 正 誤
(134) 正 誤
(135) 正 誤
(136) 正 誤
(137) 正 誤
(138) 正 誤
(139) 正 誤
(140) 正 誤
(141) 正 誤
(142) 正 誤
(143) 正 誤
(144) 正 誤
(145) 正 誤
(146) 正 誤
(147) 正 誤
(148) 正 誤
(149) 正 誤
(150) 正 誤

※模擬試験にチャレンジする際、コピーしてお使いください。

# SPI-H模擬試験

## 検査Ⅰ［言語］

(1) A B C D E
(2) A B C D E
(3) A B C D E
(4) A B C D E
(5) A B C D E
(6) A B C D E
(7) A B C D E
(8) A B C D E
(9) A B C D E
(10) A B C D E
(11) A B C D E
(12) A B C D E
(13) A B C D E
(14) A B C D E
(15) A B C D E
(16) A B C D E
(17) A B C D E F
(18) A B C D E F
(19) A B C D E F
(20) A B C D E F
(21) A B C D E F
(22) A B C D E F
(23) A B C D E F
(24) A B C D E F
(25) A B C D E F
(26) A B C D E F
(27) A B C D E
(28) A B C D E
(29) A B C D E
(30) A B C D E
(31) A B C D E
(32) A B C D E
(33) A B C D E
(34) A B C D E
(35) A B C D E
(36) A B C D E
(37) A B C D E
(38) A B C D E
(39) A B C D E
(40) A B C D E
(41) A B C D E
(42) A B C D E
(43) A B C D E F
(44) A B C D E F
(45) A B C D E
(46) A B C D E
(47) A B C D E
(48) A B C D E
(49) A B C D E
(50) A B C D E
(51) A B C D E
(52) A B C D E
(53) A B C D E
(54) A B C D E

※模擬試験にチャレンジする際、コピーしてお使いください。

## 検査Ⅱ ［非言語］

(1) A B C D E
(2) A B C D E
(3) A B C D E
(4) A B C D E
(5) A B C D E
(6) A B C D E
(7) A B C D E
(8) A B C D E
(9) A B C D E
(10) A B C D E
(11) A B C D E
(12) A B C D E
(13) A B C D E F
(14) A B C D E F
(15) A B C D E F
(16) A B C D E F
(17) A B C D E F
(18) A B C D E F
(19) A B C D E F
(20) A B C D E F
(21) A B C D E F
(22) A B C D E F
(23) A B C D E F
(24) A B C D E F
(25) A B C D E F
(26) A B C D E F
(27) A B C D E F
(28) A B C D E F
(29) A B C D E F
(30) A B C D E F
(31) A B C D E F
(32) A B C D E F
(33) A B C D E F G H
(34) A B C D E
(35) A B C D E F G
(36) A B C D E F
(37) A B C D E F
(38) A B C D E F
(39) A B C D E F
(40) A B C D E

※模擬試験にチャレンジする際、コピーしてお使いください。

●著者／日本キャリアサポートセンター
髙橋二美夫

本文デザイン／小林辰江
編集協力／ワードクロス
企画・編集／成美堂出版編集部

本書に関する正誤等の最新情報は、下記のURLをご覧ください。
https://www.seibidoshuppan.co.jp/support/

上記アドレスに掲載されていない箇所で、正誤についてお気づきの場合は、書名・発行日・質問事項・氏名・住所・FAX番号を明記のうえ、下記宛に封書でお願いします。
〒140-0013　東京都品川区南大井3-26-5　3F
株式会社ワードクロス

※電話でのお問い合わせはお受けできません。
※本書の正誤に関する質問以外にはお答えできません。また受検指導などは行っておりません。
※ご質問の到着確認後10日前後に、回答を普通郵便またはFAXで発送いたします。
※ご質問の受付期間は2025年10月末日必着といたします。ご了承ください。

高校生用 SPIクリア問題集 '26年版
2024年12月1日発行
著　者　髙橋二美夫（たかはしふみお）
発行者　深見公子
発行所　成美堂出版
〒162-8445　東京都新宿区新小川町1-7
電話(03)5206-8151 FAX(03)5206-8159
印　刷　大盛印刷株式会社

ISBN978-4-415-23903-3
落丁·乱丁などの不良本はお取り替えします
定価はカバーに表示してあります

別冊

# 高校生用 SPI '26年版 クリア問題集

## 模擬試験 解答・解説

矢印の方向に引くと
別冊の「解答・解説」が外れます。

成美堂出版

# SPI-N模擬試験解答一覧

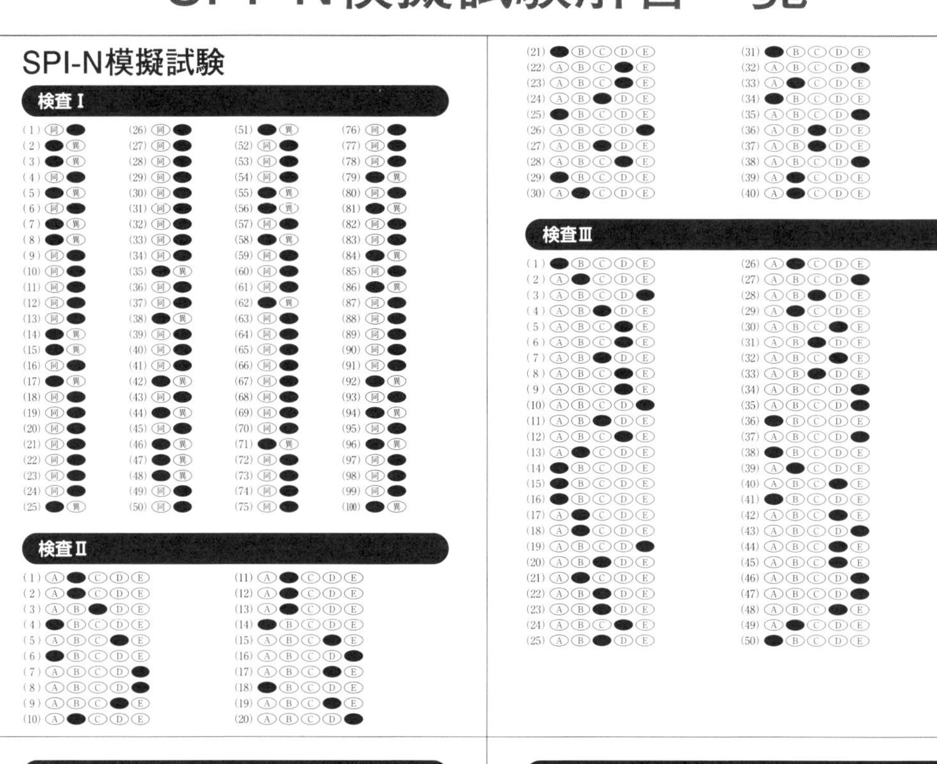

## SPI-N模擬試験

### 検査Ⅰ

| 問 | 解答 | 問 | 解答 | 問 | 解答 | 問 | 解答 |
|---|---|---|---|---|---|---|---|
| (1) | 異 | (26) | 異 | (51) | 同 | (76) | 異 |
| (2) | 同 | (27) | 異 | (52) | 異 | (77) | 異 |
| (3) | 同 | (28) | 異 | (53) | 異 | (78) | 異 |
| (4) | 異 | (29) | 異 | (54) | 異 | (79) | 同 |
| (5) | 同 | (30) | 異 | (55) | 同 | (80) | 異 |
| (6) | 異 | (31) | 異 | (56) | 同 | (81) | 同 |
| (7) | 同 | (32) | 異 | (57) | 異 | (82) | 異 |
| (8) | 同 | (33) | 異 | (58) | 同 | (83) | 異 |
| (9) | 異 | (34) | 異 | (59) | 異 | (84) | 同 |
| (10) | 異 | (35) | 同 | (60) | 異 | (85) | 異 |
| (11) | 異 | (36) | 異 | (61) | 異 | (86) | 同 |
| (12) | 異 | (37) | 異 | (62) | 同 | (87) | 異 |
| (13) | 異 | (38) | 同 | (63) | 異 | (88) | 異 |
| (14) | 同 | (39) | 異 | (64) | 異 | (89) | 異 |
| (15) | 同 | (40) | 異 | (65) | 異 | (90) | 異 |
| (16) | 異 | (41) | 異 | (66) | 異 | (91) | 異 |
| (17) | 同 | (42) | 同 | (67) | 異 | (92) | 同 |
| (18) | 異 | (43) | 異 | (68) | 異 | (93) | 異 |
| (19) | 異 | (44) | 同 | (69) | 異 | (94) | 同 |
| (20) | 異 | (45) | 異 | (70) | 異 | (95) | 異 |
| (21) | 異 | (46) | 同 | (71) | 同 | (96) | 同 |
| (22) | 異 | (47) | 同 | (72) | 異 | (97) | 異 |
| (23) | 異 | (48) | 同 | (73) | 異 | (98) | 異 |
| (24) | 異 | (49) | 異 | (74) | 異 | (99) | 異 |
| (25) | 同 | (50) | 異 | (75) | 異 | (100) | 同 |

### 検査Ⅱ

| 問 | 解答 | 問 | 解答 | 問 | 解答 | 問 | 解答 |
|---|---|---|---|---|---|---|---|
| (1) | B | (11) | B | (21) | A | (31) | A |
| (2) | B | (12) | B | (22) | D | (32) | E |
| (3) | C | (13) | B | (23) | D | (33) | B |
| (4) | A | (14) | A | (24) | C | (34) | A |
| (5) | D | (15) | D | (25) | A | (35) | E |
| (6) | A | (16) | E | (26) | E | (36) | C |
| (7) | E | (17) | D | (27) | C | (37) | C |
| (8) | E | (18) | A | (28) | D | (38) | E |
| (9) | D | (19) | D | (29) | A | (39) | B |
| (10) | B | (20) | E | (30) | B | (40) | B |

### 検査Ⅲ

| 問 | 解答 | 問 | 解答 |
|---|---|---|---|
| (1) | A | (26) | B |
| (2) | B | (27) | E |
| (3) | E | (28) | C |
| (4) | C | (29) | B |
| (5) | D | (30) | D |
| (6) | D | (31) | C |
| (7) | C | (32) | D |
| (8) | D | (33) | C |
| (9) | D | (34) | E |
| (10) | E | (35) | E |
| (11) | C | (36) | A |
| (12) | D | (37) | E |
| (13) | B | (38) | A |
| (14) | A | (39) | B |
| (15) | A | (40) | D |
| (16) | A | (41) | A |
| (17) | B | (42) | D |
| (18) | B | (43) | E |
| (19) | E | (44) | D |
| (20) | C | (45) | D |
| (21) | B | (46) | E |
| (22) | C | (47) | E |
| (23) | C | (48) | D |
| (24) | D | (49) | B |
| (25) | C | (50) | A |

### 検査Ⅳ

| 問 | 解答 | 問 | 解答 |
|---|---|---|---|
| (1) | B | (21) | A |
| (2) | B | (22) | B |
| (3) | C | (23) | C |
| (4) | A | (24) | C |
| (5) | C | (25) | B |
| (6) | B | (26) | A |
| (7) | B | (27) | B |
| (8) | A | (28) | B |
| (9) | C | (29) | A |
| (10) | B | (30) | A |
| (11) | A | (31) | C |
| (12) | B | (32) | B |
| (13) | C | (33) | B |
| (14) | C | (34) | A |
| (15) | B | (35) | A |
| (16) | C | (36) | A |
| (17) | B | (37) | C |
| (18) | B | (38) | B |
| (19) | A | (39) | B |
| (20) | C | (40) | B |

### 検査Ⅴ

| 問 | 解答 | 問 | 解答 | 問 | 解答 | 問 | 解答 |
|---|---|---|---|---|---|---|---|
| (1) | 正 | (39) | 正 | (77) | 正 | (115) | 誤 |
| (2) | 誤 | (40) | 誤 | (78) | 誤 | (116) | 正 |
| (3) | 正 | (41) | 誤 | (79) | 誤 | (117) | 誤 |
| (4) | 誤 | (42) | 誤 | (80) | 正 | (118) | 正 |
| (5) | 誤 | (43) | 誤 | (81) | 誤 | (119) | 正 |
| (6) | 正 | (44) | 正 | (82) | 誤 | (120) | 正 |
| (7) | 誤 | (45) | 誤 | (83) | 正 | (121) | 正 |
| (8) | 正 | (46) | 誤 | (84) | 誤 | (122) | 正 |
| (9) | 誤 | (47) | 正 | (85) | 正 | (123) | 誤 |
| (10) | 誤 | (48) | 正 | (86) | 正 | (124) | 正 |
| (11) | 誤 | (49) | 誤 | (87) | 正 | (125) | 正 |
| (12) | 正 | (50) | 誤 | (88) | 正 | (126) | 正 |
| (13) | 誤 | (51) | 正 | (89) | 誤 | (127) | 正 |
| (14) | 誤 | (52) | 誤 | (90) | 誤 | (128) | 正 |
| (15) | 誤 | (53) | 誤 | (91) | 正 | (129) | 誤 |
| (16) | 正 | (54) | 正 | (92) | 誤 | (130) | 正 |
| (17) | 正 | (55) | 正 | (93) | 誤 | (131) | 誤 |
| (18) | 誤 | (56) | 正 | (94) | 正 | (132) | 誤 |
| (19) | 誤 | (57) | 正 | (95) | 正 | (133) | 正 |
| (20) | 正 | (58) | 誤 | (96) | 正 | (134) | 正 |
| (21) | 誤 | (59) | 誤 | (97) | 誤 | (135) | 正 |
| (22) | 正 | (60) | 誤 | (98) | 正 | (136) | 誤 |
| (23) | 誤 | (61) | 誤 | (99) | 誤 | (137) | 正 |
| (24) | 正 | (62) | 正 | (100) | 正 | (138) | 正 |
| (25) | 誤 | (63) | 誤 | (101) | 誤 | (139) | 正 |
| (26) | 正 | (64) | 正 | (102) | 誤 | (140) | 正 |
| (27) | 誤 | (65) | 誤 | (103) | 誤 | (141) | 誤 |
| (28) | 正 | (66) | 正 | (104) | 正 | (142) | 正 |
| (29) | 誤 | (67) | 誤 | (105) | 正 | (143) | 誤 |
| (30) | 誤 | (68) | 正 | (106) | 誤 | (144) | 正 |
| (31) | 誤 | (69) | 誤 | (107) | 正 | (145) | 正 |
| (32) | 正 | (70) | 誤 | (108) | 誤 | (146) | 誤 |
| (33) | 誤 | (71) | 誤 | (109) | 正 | (147) | 正 |
| (34) | 誤 | (72) | 正 | (110) | 正 | (148) | 正 |
| (35) | 正 | (73) | 正 | (111) | 正 | (149) | 誤 |
| (36) | 誤 | (74) | 誤 | (112) | 正 | (150) | 正 |
| (37) | 正 | (75) | 正 | (113) | 正 | | |
| (38) | 誤 | (76) | 正 | (114) | 誤 | | |

## SPI-N　検査Ⅰ

問題 → 本冊P124〜127

(1)　異　3番目と4番目の入れ替わり。
(2)　同
(3)　同
(4)　異　3番目と4番目の入れ替わり。
(5)　同
(6)　異　j、w、tの順序違い。
(7)　同
(8)　同
(9)　異　2番目の「そ」が「と」になっている。
(10)　異　同じなのは最初の1字のみ。
(11)　異　3番目と4番目の入れ替わり。
(12)　異　3番目と4番目の入れ替わり。
(13)　異　後ろの4つの数字の順序違い。
(14)　同
(15)　同
(16)　異　2番目の「v」が「w」になっている。
(17)　同
(18)　異　2番目と3番目の入れ替わり。
(19)　異　後ろの3つの数字の順序違い。
(20)　異　最後の「5」が「7」になっている。
(21)　異　4番目と5番目の入れ替わり。
(22)　異　同じなのは最初の1字のみ。
(23)　異　4番目と5番目の入れ替わり。
(24)　異　3、4、5番目の「ロドリ」が「ソロイ」になっている。
(25)　同
(26)　異　最初の矢印が左向きから右向きになっている。
(27)　異　2番目と3番目の入れ替わり。
(28)　異　3番目の「リ」が「ル」になっている。
(29)　異　3番目の「3」が「4」になっている。
(30)　異　3番目と4番目の入れ替わり。
(31)　異　最初の「P」が「R」になっている。
(32)　異　3番目と4番目の入れ替わり。
(33)　異　3番目と4番目の入れ替わり。

(34)　異　２番目の「科」が「料」、４番目の「料」が「科」になっている。
偏の異同は見過ごしやすいので注意。

(35)　同

(36)　異　２番目の「に」が「い」になっている。

(37)　異　３番目の「ワ」が「サ」になっている。

(38)　同

(39)　異　２番目と３番目の入れ替わり。

(40)　異　同じなのは最初のみ。

(41)　異　最後の「Ｋ」が「Ｈ」になっている。

(42)　同

(43)　異　３番目の「ナ」が「カ」になっている。

(44)　同

(45)　異　３、４、５番目の順序違い。

(46)　同

(47)　同

(48)　同

(49)　異　２番目の「サ」が「シ」になっている。

(50)　異　４番目と５番目の入れ替わり。

(51)　同

(52)　異　１番目、２番目、５番目の向きが違う。

(53)　異　２番目の「ま」が「も」になっている。

(54)　異　２番目の「き」が「ま」になっている。

(55)　同

(56)　同

(57)　異　３、４、５番目の「252」が「525」になっている。

(58)　同

(59)　異　３番目の「Ｄ」が「Ｆ」になっている。

(60)　異　３番目の「ｖ」が「ｕ」になっている。

(61)　異　３番目の「ド」が「デ」になっている。

(62)　同

(63)　異　３番目と４番目の入れ替わり。

(64)　異　最後の「８」が「３」になっている。

(65)　異　４番目と５番目の入れ替わり。

(66)　異　２番目の「存」が「在」になっている。

(67)　異　最後の「シ」が「ツ」になっている。

(68) 異　3番目と4番目の入れ替わり。
(69) 異　1番目の図形の向きが逆になっている。
(70) 異　2番目の図形の向きが違う。
(71) 同
(72) 異　4番目と5番目の入れ替わり。
(73) 異　4番目と5番目の入れ替わり。
(74) 異　3、4、5番目の「969」が「696」になっている。
(75) 異　4番目の「E」が「F」になっている。
(76) 異　4番目と5番目の入れ替わり。
(77) 異　4番目の「士」が「志」になっている。
(78) 異　4番目の「健」が「建」になっている。
(79) 同
(80) 異　3番目と4番目の入れ替わり。
(81) 同
(82) 異　4番目の「フ」が「ヲ」になっている。
(83) 異　3番目の「3」が「8」になっている。
(84) 同
(85) 異　最後の「K」が「H」になっている。
(86) 同
(87) 異　2番目と3番目の入れ替わり。
(88) 異　3、4、5番目の順序違い。
(89) 異　2、3、4番目の「878」が「787」になっている。
(90) 異　2番目、4番目、5番目が変化。
(91) 異　最後の「颪」が「嵐」になっている。
(92) 同
(93) 異　最後の「ノ」が「メ」になっている。
(94) 同
(95) 異　最後の矢印が右向きから左向きになっている。
(96) 同
(97) 異　2番目の「め」が「ぬ」になっている。
(98) 異　3番目と4番目の入れ替わり。
(99) 異　最後の「G」が「C」になっている。
(100) 同

## SPI-N　検査Ⅱ

問題 → 本冊P128～133

(1)　B　長野の縦列で探す。上段の金額。
(2)　B　敦賀の横列で探す。上段の金額。
(3)　C　金沢の横列で探す。下段の金額。
(4)　A　富山の横列で探す。上段の金額。
(5)　D　東京の縦列で探す。下段の金額。
(6)　A　大宮の縦列で探す。上段の金額。
(7)　E　金沢の縦列にある。下段の金額。
(8)　E　敦賀の横列で探す。下段の金額。
(9)　D　東京の縦列で探す。上段の金額。
(10)　B　長野の縦列で探す。上段の金額。
(11)　B　富山の横列で探す。下段の金額。
(12)　B　長野の横列にある。下段の金額。
(13)　B　金沢の横列で探す。上段の金額。
(14)　A　金沢の横列で探す。上段の金額。
(15)　D　敦賀の横列で探す。下段の金額。
(16)　E　大宮の縦列で探す。上段の金額。
(17)　D　長野の縦列で探す。下段の金額。
(18)　A　敦賀の横列で探す。上段の金額。
(19)　D　長野の横列にある。上段の金額。
(20)　E　東京の縦列で探す。下段の金額。
(21)　A　大宮の横列にある。上段の金額。
(22)　D　金沢の横列で探す。下段の金額。
(23)　D　大宮の縦列で探す。下段の金額。
(24)　C　東京の縦列で探す。下段の金額。
(25)　A　敦賀の横列で探す。上段の金額。
(26)　E　富山の縦列にある。下段の金額。
(27)　C　大宮の縦列で探す。上段の金額。
(28)　D　富山の縦列で探す。上段の金額。
(29)　A　長野の横列にある。下段の金額。
(30)　B　富山の横列で探す。上段の金額。
(31)　A　大宮の横列にある。下段の金額。
(32)　E　金沢の横列で探す。下段の金額。
(33)　B　東京の縦列で探す。上段の金額。

(34)　A　富山の縦列で探す。上段の金額。
(35)　E　敦賀の横列で探す。上段の金額。
(36)　C　長野の縦列で探す。下段の金額。
(37)　C　金沢の横列で探す。下段の金額。
(38)　E　富山の縦列で探す。上段の金額。
(39)　B　敦賀の横列で探す。下段の金額。
(40)　B　富山の横列で探す。上段の金額。

## SPI-N　検査Ⅲ

問題 → 本冊P134〜138

(1)　A
(2)　B　左辺と右辺のAを消して計算。
(3)　E　左辺のCとBを足すと5で、右辺のDに等しい。
(4)　C　左辺と右辺のBを消して計算。
(5)　D　左辺のCとEを足すと5で、右辺のAに等しい。
(6)　D　左辺と右辺のCを消して計算。
(7)　C　左辺と右辺のEを消して計算。
(8)　D　左辺と右辺のAを消して計算。
(9)　D
(10)　E　右辺のDとCを足すと5で、左辺のBに等しい。
(11)　C　左辺と右辺のEを消して計算。
(12)　D　左辺と右辺のCを消して計算。
(13)　B
(14)　A　左辺と右辺のEを消して計算。
(15)　A　左辺のCとEを足すと5で、右辺のBに等しい。
(16)　A　左辺と右辺のDを消して計算。
(17)　B　左辺と右辺のEを消して計算。
(18)　B　左辺のAとEを足すと4で、右辺のDに等しい。
(19)　E
(20)　C　左辺と右辺のBを消して計算。
(21)　B　左辺のEとAを足すと5で、右辺のCに等しい。
(22)　C
(23)　C　左辺のDとAを足すと5で、右辺のEに等しい。
(24)　D
(25)　C　左辺と右辺のDを消して計算。

(26)　B　左辺と右辺のＡを消して計算。
(27)　E　左辺のＢとＡを足すと４で、右辺のＤに等しい。
(28)　C　左辺と右辺のＣを消して計算。
(29)　B　左辺と右辺のＤを消して計算。
(30)　D　左辺と右辺のＥを消して計算。
(31)　C　左辺と右辺のＢを消して計算。
(32)　D
(33)　C　左辺と右辺のＥを消して計算。
(34)　E　左辺と右辺のＤを消して計算。
(35)　E　右辺のＡとＣを足すと３で、左辺のＤに等しい。
(36)　A
(37)　E
(38)　A　左辺と右辺のＥを消して計算。
(39)　B　左辺と右辺のＢを消して計算。
(40)　D　右辺のＥとＡを足すと５で、左辺のＢに等しい。
(41)　A　左辺のＤとＥを足すと３で、右辺のＣに等しい。
(42)　D　左辺のＡとＥを足すと５で、右辺のＢに等しい。
(43)　E　左辺のＡとＣを足すと３で、右辺のＤに等しい。
(44)　D　左辺のＣとＥを足すと５で、右辺のＡに等しい。
(45)　D　左辺のＡとＢを足すと４で、右辺のＥに等しい。
(46)　E　右辺のＣとＤを足すと５で、左辺のＢに等しい。
(47)　E　左辺と右辺のＣを消して計算。
(48)　D　右辺のＣとＢを足すと３で、左辺のＥに等しい。
(49)　B　左辺と右辺のＡを消して計算。
(50)　A　左辺と右辺のＢを消して計算。

## SPI-N　検査Ⅳ　問題 → 本冊P139〜141

(１)　B　(　)をはずすとマイナス符号はプラスになる。
(２)　B　(　)の中を先に計算する。
(３)　C　小数点の位置に注意する。
(４)　A　４と６、３と７のように足して10になる数を見つけると早い。
(５)　C　0.1で割るのは10倍するのと同じ。
(６)　B　(　)の中を先に計算する。
(７)　B　小数点以下のみを計算すればよい。

(8) A 桁を間違えずに計算する。
(9) C 分数のかけ算は分母どうし、分子どうしをかけ合わせる。
(10) B ( )がない場合は割り算を先に計算する。
(11) A 54+44を先に計算すると早い。
(12) A 小数点をそろえて計算する。
(13) C 桁数が多い場合は計算に注意する。
(14) C 割り算を先に計算する。
(15) B 繰り上がりを忘れずに計算する。
(16) C 分数の割り算は割る数の逆数(分母と分子を入れ替えた数)をかける。
(17) B 割り算を先に計算する。
(18) B 5+5.31として0.01を引くのが早い。
(19) A ( )の中を先に計算する。
(20) C ( )をはずすときの符号の変換を忘れないように。
(21) A 小数点をそろえて計算する。
(22) B 分数の足し算、引き算は通分して計算する。通分する場合の分母は、分母どうしの最小公倍数となる。
(23) C 割り算を先に計算する。
(24) C 1の位の計算で2を先に計算してから確認する。
(25) B $10^3$は10×10×10。この場合、指数の数(3)だけ小数点を右に移動すればよい。
(26) A $3\frac{5}{6}$を$\frac{23}{6}$にして計算する。
(27) B 割り算を先に計算する。この割り算は暗算で楽にできる。
(28) B 選択肢に近い数字があるときは、しっかり計算すること。
(29) A 10の累乗での割り算では、指数の数(2)だけ小数点を左に移す。
(30) A 通分をすばやく。
(31) C ( )の中を先に計算する。
(32) B 1の位の計算で確認する。
(33) B 割り算を先に計算する。
(34) A $2\frac{5}{6}$を$\frac{17}{6}$にして、その逆数をかける。
(35) A 繰り上がりを正確に計算する。
(36) A 3.98の引き算は、4を引いて0.02を足すのが早い。
(37) C (25)と同様に、指数の数(4)だけ小数点を右に移動する。

(38)　B　通分と約分をしっかり計算する。

(39)　B　負の数を2乗すると正の数になる。$(-6)^2=36$

(40)　B　$7\frac{1}{5}$を$\frac{36}{5}$、$6\frac{1}{4}$を$\frac{25}{4}$にしてから計算する。

## SPI-N　検査Ⅴ

問題 → 本冊P142〜147

(1)　正

(2)　誤　正しい読みは「ラクノウ」。

(3)　正

(4)　誤　正しい読みは「キョクチ」。さいはての土地。とくに南極、北極のキョクを指していう。

(5)　誤　正しい読みは「ルフ」。広く知れわたること。

(6)　正

(7)　誤　正しい読みは「セイショウ」。大勢で同じ旋律を歌うこと。

(8)　正

(9)　誤　正しい読みは「ヒメン」。職をやめさせること、免職。

(10)　誤　正しい読みは「チョクメン」。物事にまっすぐに向き合うこと。

(11)　誤　ハイケイは「拝啓」。つつしんで申し上げる、の意味。

(12)　正

(13)　誤　カンゲイは「歓迎」。歓はよろこぶこと。歓迎でよろこび迎えること。

(14)　誤　サンコウは「参考」。人の意見などを自分の考えの足しにすること。

(15)　誤　セイミツは「精密」。密はすきまなく集まる、きめこまかいの意味。

(16)　正

(17)　正

(18)　誤　ジゼンは「事前」。物事が起こる前のこと。

(19)　誤　正しくは「一期一会」。一期は一生の意味。一生に一度の縁をいう。

(20)　正

(21)　誤　正しい読みは「アンテイ」。落ち着いた状態にあること。

(22)　正

(23)　誤　正しい読みは「カイガ」。

(24) 正
(25) 誤 正しい読みは「オカン」。発熱によるぞくぞくする寒けのこと。
(26) 正
(27) 誤 正しい読みは「チョウエキ」。「懲」はこらしめる。犯罪者を刑務所に拘置し、一定の作業などにつかせること。
(28) 正
(29) 誤 正しい読みは「ハキ」。紙に書いたものを捨てる、燃やす意味。契約などを取り消すことにもいう。
(30) 誤 正しい読みは「ジュンシュ」。「遵」は決まりや先例に従うこと。
(31) 誤 ジンソクは「迅速」。「迅」は進み方が早い、速度が速いこと。
(32) 正
(33) 誤 ケンカイは「見解」。物事に対する考え、意見。
(34) 誤 ザットウは「雑踏」。多人数で混み合っていること。
(35) 正
(36) 誤 ゴカクは「互角」。互いの力に優劣がないこと。牛の２本の角が、長さ、太さが同じであることからいう。
(37) 正
(38) 誤 センモンは「専門」。
(39) 正
(40) 誤 ベッソウは「別荘」。「荘」は別宅、控えの屋敷の意味。
(41) 誤 正しい読みは「メイワク」。
(42) 誤 正しい読みは「ジャリ」。
(43) 誤 正しい読みは「バンジャク」。大きな岩の意味。たいへん堅固なこと。
(44) 正
(45) 誤 正しい読みは「シゴク」。このうえないこと。
(46) 誤 正しい読みは「エンガワ」。座敷の外側にある細長い板敷のこと。
(47) 正
(48) 正
(49) 誤 正しい読みは「ブゼン」。「憮」はむなしい気持ち。力が及ばないなどでぼうっとしてしまうこと。
(50) 誤 正しい読みは「チアン」。国家・社会に異変がなく秩序が保たれていること。
(51) 正
(52) 誤 オクソクは「臆測」。「臆」は胸、心の奥などの意味をもつ。

(53)　誤　カンショウは「鑑賞」。芸術作品を味わい、理解すること。観賞は見て楽しむこと。観賞魚などと使う。

(54)　正

(55)　正

(56)　正

(57)　正

(58)　誤　ダラクは「堕落」。「堕」はおちる、おちてくずれるの意味。

(59)　誤　コウニュウは「購入」。「購」はあがなう、「講」は説いて明らかにすること。

(60)　正

(61)　誤　正しい読みは「テイセツ」。あることについて正しいと広く認められている説。

(62)　正

(63)　誤　正しい読みは「コウリョク」。ききめをもたらす力のこと。

(64)　正

(65)　誤　正しい読みは「ガッサク」。何人かで共同してつくること。また、そのようにしてつくった作品のこと。

(66)　正

(67)　誤　正しい読みは「ケンオ」。憎みきらうこと。ケンアクな雰囲気などという場合は「険悪」と書く。

(68)　正

(69)　誤　正しい読みは「タゴン」。話してはいけないことを人に話すこと。他言無用などと使う。

(70)　誤　正しい読みは「スナオ」。ソッチョクは率直と書く。

(71)　誤　イギは「異議」。「意義」は意味、価値。

(72)　正

(73)　正

(74)　誤　テンキは「転機」。別の状態に移るきっかけ。転記は書き写すこと。

(75)　正

(76)　正

(77)　正

(78)　誤　ジゼンは「慈善」。あわれみいつくしむこと。「次善」は最善の次、二番目。

(79)　誤　コジは「誇示」。「誇」はほこる。ほこらしげに見せること。

(80) 正
(81) 誤 正しい読みは「カンチ」。病気などがすっかりよくなること。
(82) 誤 正しい読みは「アイマイ」。「曖」も「昧」も、くらいという意味。内容がとらえにくくはっきりしないさま。
(83) 正
(84) 誤 正しい読みは「ブナン」。
(85) 正
(86) 正
(87) 正
(88) 正
(89) 誤 正しい読みは「ソウチョウ」。おごそかで重々しいこと。
(90) 誤 正しい読みは「ガッタイ」。二つ以上のものが一つに合わさること。
(91) 正
(92) 誤 メイシンは「迷信」。誤った信仰のこと。道理に合わないことをかたく信じること。
(93) 誤 セッキョクテキは「積極的」。物事に進んで働きかける面を表す。対義語は「消極的」。
(94) 正
(95) 正
(96) 正
(97) 誤 オウキュウは「応急」。急場に応じた臨時の処置。
(98) 正
(99) 誤 ヒカンは「悲観」。望みを失い力を落とすこと。対義語は「楽観」。
(100) 正
(101) 誤 正しい読みは「ソウゴン」。みごとでおごそかなこと。宗教的な重々しさがあること。
(102) 誤 正しい読みは「カンビ」。甘くて美味なこと。甘くこころよく感じられること。
(103) 誤 正しい読みは「ジチョウ」。自分のふるまいに気をつけ、品位を保つこと。また、自分の体に気をつけること。
(104) 正
(105) 正
(106) 誤 正しい読みは「カンスイ」。完全にやりとげること。
(107) 正

(108) 誤 正しい読みは「ケツジツ」。実を結ぶこと。結果としてできあがること、できあがったもの。

(109) 正

(110) 正

(111) 正

(112) 正

(113) 正

(114) 誤 インソツは「引率」。たくさんの人をひきつれること。

(115) 誤 イッタイカンは「一体感」。まるで一つの体になったように、人々の気持ちがまとまること。

(116) 正

(117) 誤 ショクタクは「食卓」。「卓」は台、机。食事用のテーブル。

(118) 正

(119) 正

(120) 正

(121) 正

(122) 正

(123) 誤 正しい読みは「ガッペイ」。一つに合わさること。

(124) 正

(125) 正

(126) 正

(127) 正

(128) 正

(129) 誤 正しい読みは「ギョウレツ」。順序よく並んだ列。

(130) 正

(131) 誤 トクソクは「督促」。「督」は見張る、とりしまるの意味。とりしまり、うながすこと。

(132) 誤 カンペキは「完璧」。「璧」はたま、宝玉。一つも欠点がないこと。

(133) 正

(134) 正

(135) 正

(136) 誤 ナンコウは「難航」。困難な航海。そこから、障害が多くてはかどらないこと。

(137) 正

(138) 正

(139)　正

(140)　正

(141)　誤　正しい読みは「バンソウ」。歌や他の楽器に合わせて補助的に楽器を演奏すること。

(142)　正

(143)　誤　正しい読みは「チクイチ」。一つひとつ順を追い、漏らさずに全部ということ。

(144)　正

(145)　正

(146)　誤　正しい読みは「ブスイ」。粋（いき）でないこと。

(147)　正

(148)　正

(149)　誤　正しい読みは「ハンジョウ」。店や事業などが活気に富み、盛んなこと。

(150)　正

# SPI-H模擬試験解答一覧

## SPI-H模擬試験

### 検査Ⅰ［言語］

(1) A B C ● E
(2) A ● C D E
(3) ● B C D E
(4) A B C D ●
(5) A B ● D E
(6) ● B C D E
(7) A B C ● E
(8) A B ● D E
(9) A B C D ●
(10) A ● C D E
(11) A B C ● E
(12) A B ● D E
(13) A ● C D E
(14) ● B C D E
(15) A B C ● E
(16) A B C D ●
(17) A B ● D E F
(18) A B C D ● F
(19) ● B C D E F
(20) A B C ● E F
(21) A B ● D E F
(22) A B C ● E F
(23) A ● C D E F
(24) A B ● D E F
(25) A ● C D E F
(26) A B C D ● F
(27) A ● C D E
(28) A B C D ●
(29) A B ● D E
(30) A B C ● E
(31) A B ● D E
(32) A ● C D E
(33) A ● C D E
(34) A B C ● E
(35) A B ● D E
(36) ● B C D E
(37) A B C D ●
(38) A ● C D E
(39) ● B C D E
(40) A B C ● E
(41) A ● C D E
(42) A B C ● E
(43) ● B C D E F
(44) A B C D E ●
(45) A B ● D E
(46) A B C ● E
(47) A B C D ●
(48) A B ● D E
(49) A B ● D E
(50) ● B C D E
(51) A B ● D E
(52) ● B C D E
(53) A ● C D E
(54) A B C ● E

### 検査Ⅱ［非言語］

(1) A ● C D E
(2) A B ● D E
(3) A B C ● E
(4) A ● C D E
(5) A ● C D E
(6) A B ● D E
(7) A B C ● E
(8) A B ● D E
(9) A ● C D E
(10) A B C D ●
(11) A ● C D E
(12) A B C ● E
(13) A B ● D E F
(14) A B C D E ●
(15) A B C D E ●
(16) A B ● D E F
(17) A B C D E ●
(18) A B C ● E F
(19) A B C D ● F
(20) A B ● D E F
(21) A B C ● E F
(22) A B ● D E F
(23) A B ● D E F
(24) A B C D ● F
(25) ● B C D E F
(26) A B ● D E F
(27) A B C ● E F
(28) A ● C D E F
(29) A B C D ● F
(30) A B C D E ●
(31) A B C ● E F
(32) A ● C D E F
(33) A B C ● E F G H
(34) ● B C D E
(35) A B C D ● F G
(36) A B C ● E F
(37) A B C ● E F
(38) A B ● D E F
(39) A B C D E ●
(40) A B C D ●

## SPI-H 検査Ⅰ[言語]　問題 → 本冊P148〜157

（1）　D　互角は、互いの実力が同じくらいで優劣の差がないこと。同様の意味をもつのは伯仲。

（2）　B　興味は、心がひきつけられること。同様の意味をもつのは関心。

（3）　A　専念は、一つのことに集中して熱心に取り組むこと。同様の意味をもつのは没頭。

（4）　E　企画は、事前に物事の進め方や方法などを考えること。同様の意味をもつのは計画。

（5）　C　出版は、書籍などを編集・印刷して世に出すこと。同様の意味をもつのは刊行。

（6）　A　失意は、思うようにならなくてがっかりすること。同様の意味をもつのは失望。

（7）　D　欠陥は、機能や構造などが欠けて足りないこと。同様の意味をもつのは不備。

（8）　C　親密は、親しくて仲がよさそうなようす。同様の意味をもつのは懇意。

（9）　E　軽率は、深く考えずに実行するようす。反対の意味をもつのは慎重。

（10）　B　真実は、うそいつわりのない本当のこと。反対の意味をもつのは虚偽。

（11）　D　短縮は、時間や距離を短く縮めること。反対の意味をもつのは延長。拡張は面積や規模を広げる、延期は期日を延ばす。

（12）　C　干渉は、他人のことに立ち入って自分の考えに従わせようとすること。反対の意味をもつのは放任。

（13）　B　需要は、商品を必要とすること。反対の意味をもつのは供給。

（14）　A　生産は、自然に働きかけ、生活に必要なものをつくり出すこと。反対の意味をもつのは消費。

（15）　D　加入は、団体や組織に加わること。反対の意味をもつのは脱退。

（16）　E　自然は、人手の加わっていないありのままのもの。反対の意味をもつのは人工。

（17）　C　「こんぶ」は「海藻」の一種で、包含の関係。アは、包含の関係だが左右の並びが逆。イは、用途の関係。

（18）　E　「ボールペン」は「筆記」に用いられ、用途の関係。イは、原料の関係。

(19)　A　「寒天」は「ようかん」の原料で、原料の関係。イとウも同じ原料の関係だが左右の並びが逆。

(20)　D　「添乗員」は「引率」が仕事で、仕事の関係。ウは、用途の関係。

(21)　C　「我慢」と「忍耐」は同意語の関係。アもイも同意語ではない。

(22)　D　「過剰」と「不足」は反意語の関係。ウは反意語ではない。

(23)　B　「ドイツ語」と「日本語」はどちらも同じ言語という種類であり、同列(同類)の関係。アは、仕事の関係。

(24)　C　「硯」と「墨」は一組として一緒に使うものであり、一組の関係。アは、同列(同類)の関係、イは、包含の関係。

(25)　B　「歌謡曲」は「音楽」の一種で、包含の関係。ウは、包含の関係だが左右の並びが逆。アは、同列の関係。

(26)　E　「シャンプー」は「洗髪」に用いられ、用途の関係。イは、同列の関係。

(27)　B　「チューリップ」は「植物」の一種で、包含の関係。Dの「詩」は文学の一種で、包含の関係だが、左右の並びが逆。

(28)　E　「電球」は「照明」に用い、用途の関係。「カメラ」はEの「撮影」に用いる。

(29)　C　「あん」は「小豆」を原料とする、原料の関係。「コンクリート」はCの「セメント」を原料とする。

(30)　D　「ピアニスト」は「演奏」が仕事で、仕事の関係。「アンパイア」はDの「審判」が仕事。

(31)　C　「拡大」と「縮小」は反意語の関係。「安全」の反意語はCの「危険」。

(32)　B　「賛成」と「同意」は同意語の関係。「貢献」の同意語はBの「寄与」。

(33)　B　読みは「かんよう」。寛は、心がおおらかでひろい、容は、いれる。「寛容な態度」などと使う。

(34)　D　読みは「てっかい」。撤は、とりさげる、とりのぞく。「発言を撤回する」などと使う。回収は取り戻す、集める。

(35)　C　読みは「ぜせい」。是は、道理に合ってよい、ただしい。「不備を是正する」などと使う。

(36)　A　読みは「てんか」。「責任転嫁」などと使う。

(37)　E　読みは「ぼっとう」。「仕事に没頭する」などと使う。

(38)　B　読みは「せんぷう」。旋は、めぐる、まわる。「音楽界に旋風を巻き起こす」などと使う。

(39)　A　読みは「やくしん」。躍は、おどる、とびあがる、活発である。「めざましい躍進を遂げる」などと使う。

(40)　D　「うららかな日差し」などと使う。

(41)　B　「機に臨み変化に応じる」という意味。「臨機応変の対応」などと使う。

(42)　D　気楽につきあえる、気を使わずにすむ、という意味。安心できない、という意味に誤用されることが多い。

(43)　A　アは正しい。第一段落の内容と合致する。イは誤り。仮名がふってあったから読めたという文章であり、内容が読みやすかったわけではない。ウは誤り。「うるさいから黙って読んだらどうだ」と言ったとしたら、というある一場面の話であり、筆者はそう断言してはいない。

(44)　F　アは誤り。「黙って読んでは意味もわからなくなる」からこそ、声を出して読んでいる。イは正しい。第三段落の内容と合致する。ウは正しい。最終段落の内容と合致する。

(45)　C　下線部直後の「声を出すから読めている。黙って読んでは意味もわからなくなる」という箇所に注目する。老人にとっては音読が読むことであるので、音読を禁じられたら読むことができない。

(46)　D　Aは誤り。内容は合致するが、要旨としては不適当。Bは誤り。筆者は音読がうるさいとは考えていない。Cは誤り。どちらが重要かという議論はしていない。Dは正しい。音読がかつては一般的だったという前半をおさえたうえで、読むことは、元来音読を意味しているという筆者の考えをとらえている。Eは誤り。筆者は音読に好意的だが、文中で音読の奨励まではしていない。

(47)　E　選択肢には合致するものはない。アは、「法の技術的なしくみを理解する」が誤りである。文中に、「技術の背後にある法の精神を見ぬかなければならない」とある。イ、ウは文中にない。

(48)　C　アは、「法のしくみやその構造を理解しなければならない」が誤りである。文中では、「法を学ぶ者は、正義を求め、正義を実現する精神を身につけなければならない」と述べられている。筆者は、法の技術的なしくみの理解よりも、その背後にある法の精神を重要視している。イにある「法律知識を独占し」というような記述は文中にない。

(49)　C　「この」という指示語が指す内容は、一般的にその前にある。

直前の文中「法を学ぶ者は、正義を求め、正義を実現する精神を身につけなければならない」に着目する。

(50)　A　この文をまとめると、「法を探究するということは、法の精神を理解すること。すなわち、正義を探究することにほかならない。法を学ぶ者は、正義を求め、正義を実現する精神を身につけなければならない」となる。表題として妥当なのは、「法と正義」である。

(51)　C　合致するものはウだけ。「働かない働きアリは、怠けてコロニーの効率をさげる存在ではなく、それがいないとコロニーが存続できない、きわめて重要な存在だといえる」と述べられている。ア、イのような記述は文中にない。

(52)　A　文中に述べられていることと合致するものはアだけ。イは、「労働効率はいい」が誤りである。ウのような記述は文中にない。

(53)　B　少し前の「誰もが必ず疲れる以上、働かないものを常に含む非効率的なシステムでこそ、長期的な存続が可能になり」という部分に着目する。

(54)　D　この文をまとめると、「誰もが必ず疲れる以上、働かないものを常に含む非効率的なシステムでこそ長期的な存続が可能。働かない働きアリは、それがいないとコロニーが存続できない、きわめて重要な存在だ」となる。表題として妥当なのは、「みなが疲れると社会は続かない」。

## SPI-H　検査Ⅱ[非言語]

問題 → 本冊P158～168

（1）　B　分母と分母、分子と分子をかける。
（2）　C　小数点の位置に注意する。
（3）　D
（4）　B　割り算部分を先に計算し、40を足す。
（5）　B　0.01をかけるのは100で割るのと同じ。小数点を左へ２つ移動する。
（6）　C　分数の割り算は逆数をかける。
（7）　D　(　)の中を先に計算する。
（8）　C　通分して計算。分母を15として通分できる。
（9）　B　割り算部分を先に計算し、13から引く。
（10）　E　２乗は同じ数を２回かける。$(-40)^2=(-40)\times(-40)$で、マイナス記号がとれる。
（11）　B　$\frac{1}{2}$をかけるのは２で割るのと同じ。
（12）　D　割り算部分は逆数をかけて計算すると整数の６となる。
（13）　C　仕事全体の量を１とすると、１人の１時間あたりの仕事量はA $\frac{1}{20}$、B $\frac{1}{12}$、C $\frac{1}{15}$。３人一緒に働くと１時間あたりの仕事量は$\frac{1}{20}+\frac{1}{12}+\frac{1}{15}=\frac{1}{5}$。よって、かかる時間は$1\div\frac{1}{5}=5$［時間］
（14）　F　３人で働いた２時間の仕事量は$\frac{2}{5}$。Aが抜けた時点で残った仕事量は$\frac{3}{5}$。これをBとCの１時間あたりの仕事量で割れば、残りの仕事にかかった時間が求められる。$\frac{3}{5}\div\left(\frac{1}{12}+\frac{1}{15}\right)=4$［時間］。これに３人で一緒に働いた２時間を足す。
（15）　F　12％の食塩水500ｇ中に含まれる食塩の量は、$500\times0.12=60$［ｇ］。
加えた食塩の量を$x$ｇとすると、
$\frac{60+x}{500+x}=0.2$。両辺に$(500+x)$をかけて、
$60+x=0.2(500+x)$、$60+x=100+0.2x$、$0.8x=40$、$x=50$［ｇ］

(16)　C　手付金も受け渡し時の支払いも購入総額に対する割合なので、支払った額は足し算で求められる。$\frac{1}{4}+\frac{2}{5}=\frac{5}{20}+\frac{8}{20}=\frac{13}{20}$。支払い残高は全体からこれを引いて、$1-\frac{13}{20}=\frac{7}{20}$

(17)　F　20回の均等払いにした場合の1回あたりの額は、全体に対して$\frac{7}{20}\times\frac{1}{20}=\frac{7}{400}$。求めるのは12回目を支払った後の全体に対する割合なので$\frac{7}{400}\times 12=\frac{84}{400}=\frac{21}{100}$。受け渡し時までの支払額との合計は$\frac{13}{20}+\frac{21}{100}=\frac{65}{100}+\frac{21}{100}=\frac{86}{100}=\frac{43}{50}$

(18)　D　定価9,000円の2割引きで売るから、売価は9000×(1－0.2)＝7200［円］。原価を$x$とおくと、利益は$0.2x$となる。売価－原価＝利益より、$7200-x=0.2x$、$7200=1.2x$、$x=6000$［円］

(19)　E　仕入れ値(原価)を$x$とおく。定価＝原価×(1＋見込む利益の割合)から、$2500=x\times(1+0.25)=1.25x$、$x=2500\div1.25=2000$［円］。この原価の1割の利益を得るためには、2000×(1＋0.1)＝2200［円］で売ればよい。2500－2200＝300［円］

(20)　C　全体を100%としてベン図をかくと、どちらも購読していない世帯は、100%－(60%＋50%－30%)＝20%。これが9世帯にあたるので、全体の世帯数は、9÷0.2＝45［世帯］

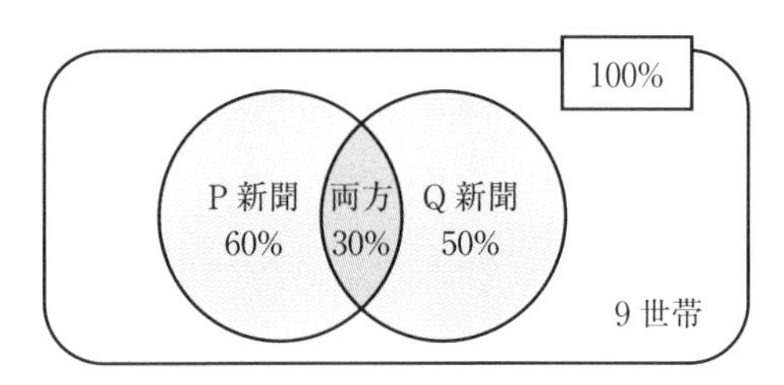


(21)　D　時間＝$\frac{距離}{速度}$の基本公式を利用する。2人は逆方向に歩いているので、1分間に92m＋88m＝180mずつ近づく。速度がm／分で表されているので単位をmにそろえて、3600÷180＝20［分］

(22)　C　2人の距離は毎分300－80＝220［m］ずつ離れることになる。その差が池のまわり1周分になると、A君はB君を追い越す。

3300 ÷ 220 = 15［分］

(23)　C　A群から2科目選ぶ組合せは、$_3C_2 = \frac{3 \times 2}{2 \times 1} = 3$［通り］。B群から2科目選ぶ組合せは、$_4C_2 = \frac{4 \times 3}{2 \times 1} = 6$［通り］。2つが連続する場合、これをかけて求める。$3 \times 6 = 18$［通り］

(24)　E　少なくとも1科目選ぶという条件にあてはまらないのは、1科目も選ばない（＝B群から3科目選ぶ）という場合である。すべての組合せの数を求めて、1科目も選ばない組合せの数を引く。すべての組合せは、A群、B群合わせて7科目から3科目を選ぶ組合せの数となるから、$_7C_3 = \frac{7 \times 6 \times 5}{3 \times 2 \times 1} = 35$［通り］。B群から3科目履修する組合せの数は、$_4C_3 = \frac{4 \times 3 \times 2}{3 \times 2 \times 1} = 4$［通り］。$35 - 4 = 31$［通り］

(25)　A　1人目のSが当たりくじを引く確率は、$\frac{2}{12}$、2人目のTが当たりくじを引く確率は、$\frac{1}{11}$。SとTが連続して当たりくじを引く確率は、積の法則により、

$\frac{2}{12} \times \frac{1}{11} = \frac{1}{66}$

(26)　C　SとTのどちらかが当たりくじを引くパターンは、①Sが当たりを引き、Tがはずれる、②Sがはずれ、Tが当たりを引く。①の場合の確率は、$\frac{2}{12}$（Sが当たりくじを引く確率）×$\frac{10}{11}$（Tがはずれくじを引く確率）＝$\frac{5}{33}$、②の場合の確率は、$\frac{10}{12}$（Sがはずれくじを引く確率）×$\frac{2}{11}$（Tが当たりくじを引く確率）＝$\frac{5}{33}$。これを足して、$\frac{5}{33} + \frac{5}{33} = \frac{10}{33}$

(27)　D　父の年齢が子ども2人の年齢の和の4倍だったのが$x$年前とすると、$x$年前の父の年齢は$(52 - x)$歳、2人の子どもの年齢の和は$(27 - 2x)$歳となる。父の年齢が子ども2人の年齢の和の4倍だ

ったということは、$52-x=4(27-2x)$、$52-x=108-8x$、$7x=56$、$x=8$［年］

(28)　B　三男が生まれたときの長男の年齢を$x$、次男の年齢を$y$とすると、$x=4y$、三男が4歳のときは、$x+4=2(y+4)$、$x+4=2y+8$となる。$x=4y$をこれに代入すると、$4y+4=2y+8$、$2y=4$、$y=2$［歳］。したがって、$x=8$［歳］。三男と長男は8歳差となるから三男が20歳のとき、長男は28歳。

(29)　E　製品Aの売上額は、アメリカは表Ⅰが空欄だが、製品B40%、製品C0%から、60%とわかる。$40000000\times0.6=24000000$［円］。中国も表Ⅱが空欄だが、製品Bが30%で6,000,000円ということから、$6000000\times\frac{4}{3}=8000000$［円］。インド、ドイツは、表から6,000,000［円］、15,000,000［円］、合計53,000,000円。求めるのは、製品Aのアメリカにおける売上額が製品Aの全体売上額に占める割合だから、$24000000\div53000000=0.4528\cdots$→45.28…%→45.3%

(30)　F　ドイツについては、表Ⅰから製品Aの出荷割合が30%、表Ⅱからその売上高が15,000,000円だから、ドイツ全体の売上高が、$15000000\div0.3=50000000$［円］と計算できる。
B製品の売上高が12,500,000円なので、出荷割合は、$12500000\div50000000=0.25$、すなわち25%。したがって製品Cの出荷割合は、$100-30-25=45$［%］

(31)　D　Aの領域は、$y=x+2$より上、$y=5$より下、$y=x^2$より上となる。したがって、$y>x+2$、$y<5$、$y>x^2$となる。

(32)　B　それぞれの不等式が表す領域は次の図のとおりとなる。

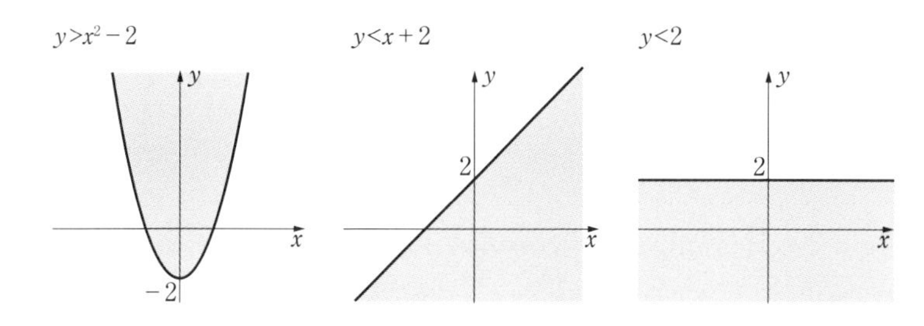


求める領域は、これらの共通部分となるから、②と④の領域。

(33)　D　問題文より、対戦表を作成する。

| | P | Q | R | S | T |
|---|---|---|---|---|---|
| P | | ○ | ○ | × | × |
| Q | × | | ○ | × | × |
| R | × | × | | × | ○ |
| S | ○ | ○ | ○ | | × |
| T | ○ | ○ | × | ○ | |

選択肢の正誤を確認する。

A　Sは、全勝で優勝した→3勝1敗

B　Pは、QとTに勝った→QとRに勝った

C　Rは、2勝2敗だった→1勝3敗

D　全勝の人はいなかった→正しい

E　RはPに勝った→Tに勝った

F　TはSに負けた→勝った

G　Tが勝ったのはP、Q、Rだ→P、Q、S

H　Sが負けたのはPだ→T

(34)　A　第2ブロックのUとWの対戦は、1回戦の場合と2回戦の場合が考えられる。1回戦の場合、残りの6チームのうち2つが第2ブロックに入るが、②、③より、VとTおよびPとSは対戦していないため、それ以外となり、①と矛盾する。したがって、UとWの対戦は2回戦。その場合、VとT、PとSは、第1ブロック、第2ブロックのどちらかに1組ずつ入る。また、Uに勝ったWが決勝に進んだこともわかる。次に、⑤よりSはRと対戦しており、それが決勝戦でないことから、P、R、Sが第1ブロック、VとTが第2ブロックとなる。①⑤からRとSの対戦は1回戦であり、同じ1回戦でQと対戦したのはP。したがって優勝したのはP。

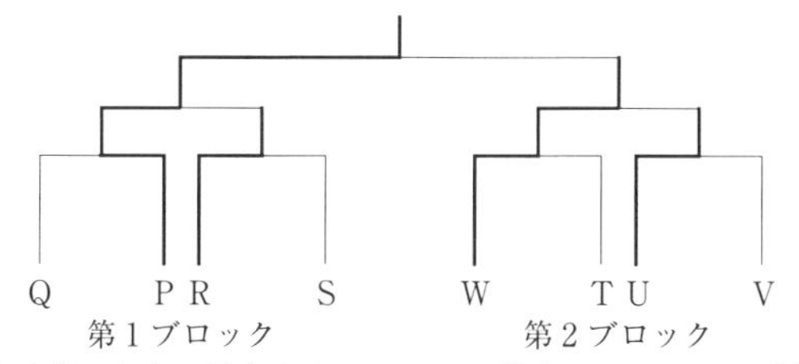

※図は太線のように勝ち上がっていった場合の8チームの試合結果

(35)　E　条件からＰは２つの区画に接するので、ａかｄ。したがってＱはｂかｃ。図からａｄは２つ、ｂｃは３つの区画に接することを考え合わせ、①～③が確実にいえるかどうか検討する。①Ｐの所有地はＯと接している→Ｐがａ（ｄ）、Ｏがｄ（ａ）の場合、接していない。②Ｑの所有地はＯと接している→Ｑはｂかｃなので３つのすべてに接しており確実にいえる。③Ｒの所有地はＯと接している→Ｒがｂかｃとすると３つのすべてに接しており必ず接する。Ｒがａかｄとしても Ｐがａ　ｄのどちらかなのでＯはｂまたはｃになり必ず接する。よって確実にいえる。

(36)　D　図をかいて考える。
アとイから、まずＰが定まる。ウから、ＱとＲは①と③か②と⑤だが、カからＳの位置は④しかなく、したがって②がＱ、⑤がＲと定まる。

| | 左側 | 中央 | 右側 |
|---|---|---|---|
| 後列 | ③ | ④ | ⑤ |
| 前列 | ① | Ｐ | ② |

○撮影者

残る①③については、エから①がＴ、③がＵと定まる。

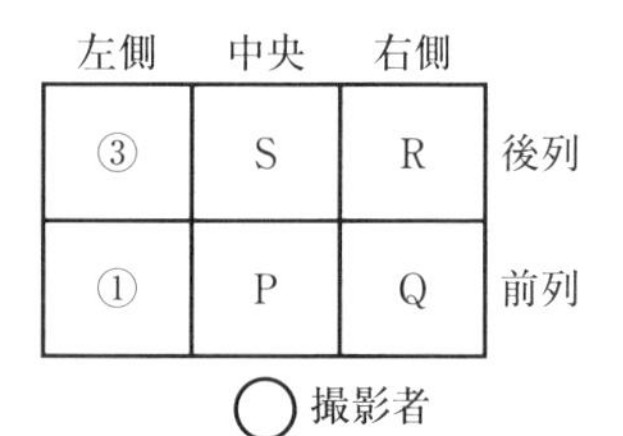


よって、Ｕの右隣はＳである。

| | 左側 | 中央 | 右側 |
|---|---|---|---|
| 後列 | U | S | R |
| 前列 | T | P | Q |

○撮影者

(37)　D　ア　Ｗが100人、Ｚが35人の場合、ＸとＹを選んだ人は、200－(100＋35)＝65［人］。Ｚが２位だから、ＸとＹはそれぞれ34人以下。片方を34人とすると、もう一方は31人となり、条件にあてはまる。

イ　Ｗが100人、Ｘが40人の場合、ＺとＹを選んだ人は、200－(100＋40)＝60［人］。Ｘが３位だから、Ｚを最低人数の41人とすると、Yは19人となり、条件にあてはまる。

ウ　Wが100人、Yが35人の場合、ZとXを選んだ人は、$200-(100+35)=65$［人］。ZとXはどちらも36人以上でなければならないが、片方を36人とすると、もう一方は29人となり、条件に合わない。

(38)　C　5人の体重の平均が65kgなので体重の総和は$65\times5=325$［kg］。これからQとSの体重を引くとP・R・Tの体重の和になる。$325-(81+46)=198$［kg］。Rの体重を$x$とおくと、$(x-2)+x+(x+5)=198$、$3x+3=198$、$3x=195$、$x=65$［kg］

(39)　F　問題よりP＞R、O＞Q、同じ人口の市はない。順に可能性を検証すると、アは、O、Q、P、Rの順番が考えられ、誤りとはいえない。イは、O、Q、P、RやP、O、Q、R、およびO、P、Q、Rが考えられ、誤りとはいえない。ウは、P、O、Q、RやP、O、R、Qの順番が考えられ、誤りとはいえない。エは、Oの人口が最も多い場合は、O、Q、P、RとO、P、R、QとO、P、Q、Rの順番が、Pの人口が最も多い場合は、P、R、O、QとP、O、Q、RとP、O、R、Qの順番があるが、どの順番であってもO＋PはR＋Qより多くなるので、誤りである。

(40)　E　条件の文を整理する。

ア

| | ① | ② |
|---|---|---|
| 前 | | Q |
| | Q | |
| | | |
| | | S |
| | S | |

イ

| ① | ② |
|---|---|
| T | |
| | T |
| P | P |
| | |
| | |

アとイを合わせる。Pは3番目が確定しており、残りは次の2パターンが考えられる。

よってRの位置として考えられるのは4番目と5番目。

| ① | ② |
|---|---|
| T | Q |
| Q | T |
| P | P |
| | S |
| S | |

矢印の方向に引くと別冊の「解答・解説」が外れます。